13.05

ROSYJSKA
BALETNICA

DANIELLE Steel

ROSYJSKA BALETNICA

Z angielskiego przełożył
Paweł Adamski

ŚWIAT KSIĄŻKI

Tytuł oryginału
Granny Dan

Projekt okładki i stron tytułowych
Ewa Łukasik

Redakcja
Marta Trojan

Redakcja techniczna
Lidia Lamparska

Korekta
Joanna Cieślewska
Jacek Ring

Bertelsmann Media Sp. z o.o.
Świat Książki
Warszawa 2000

Skład *Joanna Duchnowska*
Druk i oprawa GGP Media GmbH, Pößneck

ISBN 83-7227-589-0

Nr 2618

Wielkim Miłościom
i małym baletnicom,
każdej ukochanej z osobna,
i na zawsze
zachowanej w sercu.

A zwłaszcza
Vanessie,
najmilszemu dziecku
i najniezwyklejszej
tancerce.
Niech życie okazuje ci
łaskawość, dobroć
i współczucie.

Najserdeczniej
d.s.

Prolog

Paczka przyszła w śnieżne popołudnie, dokładnie dwa tygodnie przed Bożym Narodzeniem. Starannie zapakowana, zawiązana sznurkiem, tkwiła pod drzwiami, kiedy wróciłam z dziećmi do domu. W drodze do domu zatrzymaliśmy się w parku. Siedziałam na ławce, uważając na dzieci, a myśląc o niej, jak prawie bez przerwy przez ostatni tydzień. Mnóstwa rzeczy nigdy o niej nie wiedziałam, wielu się tylko domyślałam, tyle było zagadek, do których tylko ona miała klucz. Najbardziej żal mi było, że nie wypytywałam o jej życie, kiedy jeszcze miałam okazję, ale po prostu uznałam, że to nieważne. Była w końcu stara, jakie to mogło mieć znaczenie? Sądziłam, że wiem o niej wszystko.

Była babcią o tańczących oczach, uwielbiała jeździć ze mną na wrotkach, nawet kiedy miała już z górą osiemdziesiątkę, piekła pyszne ciasteczka i zwracała się do dzieci w swoim miasteczku jak do dorosłych, co świetnie ją rozumieją. Była bardzo mądra i bardzo zabawna, więc dzieci za nią przepadały. A jak już bardzo się naprzykrzały, pokazywała im sztuczki karciane. Okropnie im się to podobało.

Miała ładny głos, grała na bałałajce i śpiewała cudowne stare romanse rosyjskie. Wydawało się, że ciągle się krząta, coś śpiewa, nuci. Do samego końca była zwinna i pełna

7

gracji, wszyscy się nią zachwycali. Kiedy już ktoś ją poznał, nie mógł jej nie kochać. Właściwie nikt z nas dotąd jej nie znał. Nikt nie rozumiał, kim przedtem była, gdzie mieszkała, z jakiego nieprawdopodobnego świata przybyła. Wiedzieliśmy, że urodziła się w Rosji, do Vermontu przyjechała w 1917 roku, a trochę później wyszła za mąż za dziadka. Naszym zdaniem była tu zawsze, niezmienna część naszego życia. Jak zwykle w przypadku starych ludzi, uważaliśmy, że zawsze była stara.

Nikt z nas właściwie nic o niej nie wiedział, a teraz odkładane pytania pozostały bez odpowiedzi. Mogłam tylko pytać samą siebie, dlaczego nigdy nie przyszło mi do głowy, żeby pytać ją. Dlaczego nigdy nie byłam ciekawa odpowiedzi?

Mama umarła dziesięć lat wcześniej. Chyba nawet ona nie znała odpowiedzi na niezadane pytania i wcale nie chciała ich znać.

Wdała się raczej w ojca, poważna, rzetelna, jak przystało na mieszkankę Nowej Anglii, chociaż dziadek aż taki nie był. Była jednak małomówna jak on i nieprzeniknona. Mało mówić, mało wiedzieć i nie wtykać nosa w tajemnice innych światów, czyli w życie innych. Chodziła do supermarketu, kiedy była przecena pomidorów albo truskawek, a jako osoba praktyczna, która żyje w świecie materialnym, miała niewiele wspólnego z własną matką. Najlepiej pasowało do niej słówko *solidna*, a nie jest to pojęcie, które kojarzyłoby się z jej matką, babcią Dan, jak ją nazywałam.

Babcia Dan była jak z bajki. Eteryczna lekkość, złoty pyłek elfa, anielskie skrzydła, wszystko czarodziejskie, świetliste i pełne wdzięku. Te dwie kobiety były absolutnie do siebie niepodobne, i to właśnie babcia przyciągała mnie jak magnes, jej serdeczność i delikatność ujmowała mnie tysiącem niewymownie wdzięcznych gestów. To babcię Dan kochałam nad życie i to po niej tęskniłam tak rozpaczliwie w to śnieżne popołudnie w parku, głowiąc się, co ja bez niej pocznę. Umarła dziesięć dni wcześniej w wieku dziewięćdziesięciu lat.

Kiedy mama zmarła, a miała wtedy pięćdziesiąt cztery lata, było mi smutno, poza tym wiedziałam, że będzie mi jej brak. Będzie mi brak poczucia stałości, poczucia pewności, jakie mi zapewniała, miejsca, do którego mogłam wracać jak do domu. Ojciec ożenił się z jej najlepszą przyjaciółką w rok po śmierci mamy, ale nawet tym niespecjalnie się przejęłam. Miał sześćdziesiąt pięć lat i schorowane serce, potrzebował więc kogoś, kto by mu gotował obiady. Connie była od wieków jego przyjaciółką i nadawała się na dublerkę mamy. Nie ubodło mnie to. Rozumiałam. Nie rozpaczałam po mamie. Ale babcia Dan... Świat bez niej stracił dla mnie połowę uroku. Wiedziałam, że już nigdy nie usłyszę jej śpiewu, jej zadzierzystej ruszczyzny... Po bałałajce od dawna już nie było śladu. Razem z Babcią odeszła jednak jakaś aura szczególnego niepokoju. Wiedziałam, że moje dzieci nigdy nie zrozumieją, co straciły. Była dla nich po prostu bardzo starą kobietą z dobrocią w oczach i śmiesznym akcentem... ale ja wiedziałam więcej. Ja właśnie wiedziałam, co tracę, i to bezpowrotnie. Była niezwykłym człowiekiem, istotą czarodziejskiego gatunku. Gdy się ją poznało, nie sposób jej było zapomnieć.

Paczka długo leżała na stole w kuchni, kiedy dzieci z krzykiem domagały się kolacji, a potem gapiły na telewizję, gdy szykowałam jedzenie. Byłam tego popołudnia w supermarkecie. Kupiłam wszystko, żeby upiec z nimi świąteczne ciastka. Mieliśmy je piec właśnie tego wieczora, żeby dzieci mogły w szkole poczęstować nauczycieli. Katie zamiast kruchych ciasteczek chciała robić babeczki, ale Jeff i Matthew godzili się tylko na gwiazdkowe dzwonki z czerwono-zieloną posypką. Wieczór był odpowiedni, bo Jack, mój mąż, akurat był poza miastem. Wyjechał służbowo na trzy dni do Chicago. Tydzień wcześniej wybrał się ze mną na pogrzeb, był serdeczny i miły. Wiedział, ile dla mnie znaczyła, ale jak to jest w zwyczaju, pozwolił sobie zauważyć, że przeżyła piękne, długie życie i można się pogodzić z tym, że teraz odeszła. Kto może, ten może. Ja czułam, że mi ją zabrano podstępem, bo co z tego, że miała dziewięćdziesiąt lat.

Nawet po dziewięćdziesiątce była piękna. Proste, siwe włosy zaplatała jak zwykle w długi warkocz, a przy ważnej okazji upinała ściśle w koronę. Przez całe życie tak się czesała. Odkąd pamiętam, wyglądała zawsze tak samo. Proste plecy, szczupła sylwetka, niebieskie oczy, tańczące, kiedy na mnie patrzyła. Piekła takie same ciasteczka, jakie miałam zamiar upiec tego wieczora, nauczyła mnie, jak się to robi. A kiedy już je upiekła, przypinała wrotki i z gracją śmigała po kuchni. Czasem doprowadzała mnie do śmiechu, a czasem do płaczu swoimi cudownymi opowieściami o baletnicach i książętach.

To ona pierwszy raz zabrała mnie na balet. Gdybym jako dziecko miała tę szansę, chciałabym móc z nią tańczyć. Ale w Vermoncie, tam gdzie mieszkaliśmy, nie było szkoły baletowej, a mama nie życzyła sobie, żeby to babcia mnie uczyła. Parę razy próbowała w kuchni, ale mama uważała, że ważniejsze jest odrabianie lekcji, pomoc w domu i w oborze, gdzie mój ojciec trzymał dwie krowy. Nie gustowała w fanaberiach jak jej matka. Ani taniec, ani muzyka nie zmieściły się w moim dzieciństwie. Cudowność i tajemnica, wdzięk i sztuka, ciekawość świata o ileż rozleglejszego niż mój: to wszystko dawała mi babcia Dan, kiedy siedziałam i całymi godzinami słuchałam jej w kuchni.

Zawsze ubierała się na czarno. Zdawało się, że ma nieprzeliczony zasób znoszonych czarnych sukienek i śmiesznych kapeluszy. Gustowna schludność z odcieniem pewnej naturalnej elegancji. Ale nigdy żadnych ekstrawaganckich toalet.

Jej mąż, mój dziadek, umarł, kiedy byłam dzieckiem: atak influency skończył się zapaleniem płuc. Kiedyś, w wieku dwunastu lat, zapytałam, czy go kochała, to znaczy... czy go kochała tak naprawdę... Spojrzała na mnie zaskoczona, a potem uśmiechnęła się powoli i odpowiedziała po chwili namysłu.

– Pewnie, że tak. – Powiedziała to z miłym rosyjskim akcentem. – Był dla mnie bardzo dobry. Był wspaniałym mężczyzną.

Nie było to dokładnie to, co chciałam usłyszeć. Chciałam wiedzieć, czy kochała go do szaleństwa, jak któregoś z książąt, o których opowiadała mi bajki.

Dziadek nigdy nie wydawał mi się szczególnie przystojny, a przy tym był znacznie starszy od niej. Na zdjęciach, które widziałam, był bardzo podobny do mojej matki, poważny i trochę surowy. W tamtych czasach ludzie nie uśmiechali się na fotografiach. Nabierali przez to jakiegoś cierpiętniczego wyglądu. Z trudem wyobrażałam sobie ich oboje razem. Był od niej starszy o dwadzieścia pięć lat. Poznała go w 1917 roku, po przyjeździe z Rosji do Ameryki. Pracowała w jego banku, dziadek zaś stracił pierwszą żonę wiele lat wcześniej. Nie miał dzieci i nie ożenił się powtórnie. Babcia Dan zawsze mówiła, że był okropnie samotny, kiedy go poznała, i bardzo dla niej miły, ale nigdy nie wdawała się w objaśnienia. Musiała być wtedy piękna, zapewne olśniła go, nawet wbrew jego woli. Pobrali się w szesnaście miesięcy po poznaniu. Mama urodziła się w rok później, więcej dzieci nie mieli. Tylko to jedno. Świata nie widział poza mamą, pewnie dlatego, że była taka do niego podobna. Wiedziałam to wszystko od zawsze. Nie wiedziałam natomiast, w każdym razie nie na pewno, co było wcześniej. Kim była babcia Dan w młodości, skąd dokładnie i dlaczego przyjechała. Szczegóły historyczne w dzieciństwie wydawały mi się nieistotne.

Wiedziałam, że tańczyła w petersburskim balecie, że poznała cara, ale mamie się nie podobało, że babcia mi o tym opowiada. Mówiła, że nie ma co nabijać mi głowy głupimi pomysłami na temat cudzoziemców i miejsc, których nigdy w życiu nie zobaczę, a babcia stosowała się do życzeń córki. Rozmawiałyśmy o znajomych z Vermontu, o miejscach, w których bywam, o tym, co robię w szkole. Tylko kiedy szłyśmy na ślizgawkę na jeziorze, miała przez chwilę rozmarzone oczy, a ja wiedziałam, że myśli o Rosji i o ludziach, których tam znała. Mogła o tym mówić lub nie, oni i tak w niej tkwili, byli jej cząstką, którą kochałam i bardzo chciałam poznać, cząstką tak dla niej ważną, że odczuwałam to nawet wtedy, ponad pięćdziesiąt lat po jej rozstaniu z nimi. Wiedziałam, że jej najbliżsi krewni, ojciec i czterej bracia, zginęli w czasie wojny i rewolucji, walcząc po stronie cara. Ona wyjechała do Ameryki i nigdy już ich nie zobaczyła. Zaczęła nowe życie w Vermoncie. Ale przez cały czas pamięć o tych ludziach, których znała i kochała, wplatała się w tkankę jej codzienności, w osnowę jej życia, i nie sposób było uciec od tego wątku, choćby nawet zasnuła go tyloma innymi nitkami.

Któregoś dnia, szukając na strychu jakiejś jej starej sukienki, żeby się przebrać na zabawę szkolną, znalazłam jej baletki. Tkwiły tam, w otwartym kufrze na strychu. Porządnie znoszone, w moich rękach wydawały się miniaturowe. Wytarte noski miały w sobie coś czarodziejskiego, kiedy delikatnie dotykałam palcami satyny. Później zagadnęłam ją o te pantofle.

– Och – powiedziała, z początku zaskoczona, a potem roześmiała się, odmłodzona nagle wspomnieniem. – Tańczyłam w nich ostatniego wieczoru w Petersburgu, w Teatrze Maryjskim... Była cesarzowa... I wielkie księżniczki...

Tym razem zapomniała o zmieszaniu.

– Tańczyliśmy *Jezioro łabędzie* – opowiadała, myślami o milion kilometrów od Vermontu. – To był cudowny spektakl... Nie wiedziałam wtedy, że mój ostatni... Nie wiem, po co zachowałam te pantofle... To wszystko było już tak dawno, kochanie.

Jakby zatrzasnęła drzwi za wspomnieniami. Podała mi

kubek gorącej czekolady z mnóstwem bitej śmietany, posypanej tartą czekoladą i cynamonem.

Chciałam dowiedzieć się czegoś więcej o tym balecie, ale znikła na dłużej, a potem wróciła z robótką, kiedy odrabiałam lekcje w kuchni. Nie miałam już okazji zapytać ją tego wieczoru ani kiedykolwiek później, nawet po latach. A może zapomniałam o baletkach. Wiedziałam, że tańczyła w balecie, wszyscy to wiedzieliśmy, ale trudno mi było ją sobie wyobrazić jako primabalerinę. Była moją babcią, babcią Dan, jedyną babcią w mieście, która miała własne wrotki. Wkładała je dumnie do którejś czarnej sukienczyny. A znów kiedy wybierała się do miasta, zwłaszcza do banku, zawsze brała kapelusz, rękawiczki i ulubione kolczyki. Wyglądała, jakby miała coś ważnego do załatwienia. Nawet kiedy odbierała mnie ze szkoły swoim przedpotopowym samochodem, wydawała się dostojna i uszczęśliwiona moim widokiem. Nie było trudno zauważyć, kim jest, a za to okropnie trudno pamiętać, kim była kiedyś. Teraz jednak zdaję sobie sprawę, że nigdy nie chciała, byśmy pamiętali. Była osobą, którą się stała, wdową po dziadku, matką mamy, babcią, co piecze rosyjskie ciasteczka. Cóż mogło być poza tym: za dużo do zmyślenia, ba, nawet do zrozumienia.

Zastanawiałam się, czy babci Dan zdarza się budzić w nocy i wspominać, co czuła, tańcząc w *Jeziorze łabędzim* przed carycą i jej córkami, czy też zarzuciła te wspomnienia wiele lat temu, Bogu dziękując za życie wśród nas w Vermoncie? Te dwa okresy jej życia były zupełnie różne. Tak bardzo różne, że pozwalały nam wszystkim zapomnieć o jej przeszłości, uwierzyć, że jest teraz kimś innym niż w Rosji. A ona pozwalała nam w to wierzyć przez wszystkie te lata. I na odwrót, to myśmy jej pozwalali zapomnieć o tamtym, wręcz zmuszaliśmy ją do zapomnienia, stworzyliśmy sobie wygodny obraz jej obecnej. W moim wyobrażeniu nigdy nie była młoda. W pojęciu mojej matki nie była ani piękna, ani zachwycająca, ani nie była baletnicą. Jej mąż był przekonany, że należała do niego od zawsze. Słyszeć nawet nie chciał o jej ojcu i braciach. Byli częścią świata, od którego chciał ją na zawsze oddzielić. Pewnie wolał, żeby nie pamiętała.

Należała do niego, dopóki nie umarł i nie zostawił nam jej w spadku. Mnie bardziej niż mamie. Mamie nigdy nie była bliska, a mnie tak. Ukochana babcia, która znaczyła dla mnie wszystko... jej fantazja zrobiła ze mnie człowieka, którym jestem, jej wyobraźnia dodała mi odwagi do opuszczenia Vermontu. Po college'u wyjechałam do Nowego Jorku, znalazłam pracę w reklamie, wreszcie wyszłam za mąż i urodziłam trójkę dzieci. Wyszłam za przyzwoitego człowieka, żyję, jak chcę, nie pracuję od siedmiu lat. Zamierzam wrócić do pracy, jak dzieci trochę podrosną i nie będą mnie tak potrzebowały, gdy już nie będę czuła, że muszę być z nimi w domu i piec ciasteczka.

A kiedy sama podrosnę, kiedy się zestarzeję, chcę się stać taka jak babcia Dan. Jeździć na wrotkach po własnej kuchni, chodzić na ślizgawkę, co robiłam z nią i dalej uwielbiam robić. Chcę, żeby moje dzieci i wnuki się śmiały i pamiętały, w co się z nimi bawiłam. Żeby pamiętały dzwonki choinkowe i wspólne ze mną ubieranie drzewka i czekoladę na gorąco, którą przygotowuję dokładnie tak jak ona, kiedy odrabiają lekcje. Żeby moje życie coś dla nich znaczyło i żeby czas, kiedy jestem z nimi, to było coś. Ale żeby też wiedziały, kim byłam i skąd się tu wzięłam, i że bardzo kochałam ich ojca.

W moim życiu nie ma tajemnic, żadnych ukrytych opowieści, żadnych triumfów, takich jak jej, kiedy tańczyła w *Jeziorze łabędzim* w ostatnich chwilach carskiej Rosji. Nie mogę sobie teraz nawet wyobrazić, jakie musiało być jej życie albo ilu rzeczy musiała się wyrzec, kiedy tu przyjechała. Nie mieści mi się w głowie, jak można nigdy o tym nie mówić i jak można porzucić wszystkich, których się kochało. Nie potrafię sobie wyobrazić, jak można się przenieść do takiego Vermontu, kiedy się przyjechało z Rosji. Chciałabym wiedzieć, dlaczego nigdy nic więcej o tym mi nie powiedziała. Może po prostu dlatego, że nie chcieliśmy, żeby była tancerką Daniną Pietroskową. Miała być babcią Dan i już, matką, żoną i babcią. Tak nam było łatwiej, nie musieliśmy się do niczego dopasowywać. Nie czuliśmy, że jesteśmy czymś mniejszym niż jej poprzednie życie, mniejszym niż to, kim sama dawniej była. Skoro nigdy jej nie znaliśmy, nie znaliśmy też, nie czuliśmy jej bólu, smutku, utraty, żałoby po samej sobie. A dziś, kiedy o niej myślę, żal mi, że nie wiedziałam o niej więcej. Żal, że nie mogłam widzieć jej wtedy, być z nią tam.

Odłożyłam paczkę na bok, żeby razem z Jeffem i Mattem przygotować gwiazdkowe dzwonki, od stóp do głów obsypując się czerwono-zieloną posypką. Później robiłam ciasteczka z Katie, a ona już się postarała, żeby od stóp do głów polukrować siebie, mnie i caluteńką kuchnię.

Kiedy wreszcie wszystkich ułożyłam do spania, było już późno. Jack zadzwonił z Chicago. Dzień miał ciężki, ale udany. Przez ten czas na śmierć zapomniałam o paczce. Przypomniałam sobie dopiero, kiedy po północy zeszłam do kuchni, żeby się czegoś napić. Tkwiła tam dalej, odsunięta na bok, z drobinami pokruszonego ciasta na sznurku, zamaskowana cienką warstwą czerwono-zielonej posypki.

Wzięłam paczkę, omiotłam ze śmieci i usiadłam z nią przy kuchennym stole. Parę minut zeszło, zanim rozplątałam sznurek i mogłam ją otworzyć. Paczka była z domu opieki, w którym babcia Dan spędziła ostatni rok życia. Kiedy zebrałam już wszystkie jej rzeczy, zajrzałam po pogrzebie do pielęgniarek, żeby im podziękować. Większość rzeczy była mocno znoszona, niewiele dało się zachować, ot, mnóstwo dziecięcych fotografii i garść książek. Zatrzymałam tomik wierszy po rosyjsku, bo wiedziałam, że je lubiła, a resztę zostawiłam pielęgniarkom. Ocaliłam po niej złotą obrączkę ślubną, złoty zegarek, który dziadek jej ofiarował przed ślubem, i parę kolczyków: to wszystko. Opowiadała mi kiedyś, że ten zegarek był pierwszym prezentem, jaki dostała od dziadka. Nigdy się na nią specjalnie nie wykosztowywał, to znaczy na prezenty i świecidełka, choć zapewniał jej godziwy byt. Wzięłam jeszcze koronkową nocną narzutkę. W domu wsunęłam ją w najdalszy kąt szafy. A całą resztę rozdałam. Pojęcia więc nie miałam, co oni mi teraz przysłali.

Obdarłam papier, a pod nim ukazał się duży kwadratowy karton, wielkości mniej więcej pudła na kapelusze. Uniosłam go – był ciężki. Załączony liścik mówił, że znaleźli to na jej szafie i że wolą mieć pewność, że to odebrałam. Zdjęłam pokrywkę, niczego się nie spodziewając – i aż mnie zatkało na ich widok. Były dokładnie takie, jak pamiętałam, pantofle zużyte i trochę wytarte, tasiemki wiązane wokół kostek spłowiałe i zmięte. To były jej baletki. Takie widziałam przed laty u niej na strychu. Ostatnia para, jaką miała na nogach przed opuszczeniem Rosji. Były też w kartonie inne rzeczy, na przykład złoty medalion z fotografią mężczyzny w środku. Miał wypielęgnowaną brodę i wąsy, a ze staromodną powagą było mu bardzo do twarzy. Miał oczy podobne jak ona. Po tylu latach zdawały się śmiać z fotografii, chociaż on się przecież nie uśmiechał. Były też zdjęcia innych mężczyzn, w mundurach. Odgadłam, że to jej ojciec i bracia. Jeden z chłopaków był niewiarygodnie do niej podobny. Był też mały konwencjonalny portrecik jej matki, który chyba już kiedyś widziałam. Był program teatralny jej ostatniego *Jeziora łabędziego*, fotografia roześmianych baletnic, a w środku ich grupki młoda piękność, której oczy i twarz przez wszystkie późniejsze lata nie zmieniły się ani na jotę. Nietrudno było poznać, że to Danina. Oszałamiająco piękna i nieprawdopodobnie szczęśliwa. Śmiała się na zdjęciu, a pozostałe kobiety patrzyły na nią z zachwytem i podziwem.

A na dnie pudła leżała gruba paczka listów. Rzuciłam na nie okiem. Pisane po rosyjsku starannym, eleganckim pismem, znamionującym męskość i inteligencję. Związane wypłowiałą niebieską wstążką. Strasznie dużo ich było.

Biorąc je do ręki, już wiedziałam, że tu znajdę rozwiązanie wszystkich zagadek, wszystkie tajemnice, o których nigdy nie opowiadała, z których nigdy się nie zwierzała, odkąd wyjechała z Rosji. Tyle uśmiechniętych twarzy w tym pudełku, tyle osób, tak kiedyś dla niej ważnych, a później porzuconych dla życia, które nie mogłoby być bardziej odmienne od dotychczasowego.

Trzymałam w ręku baletki, delikatnie gładząc satynę, i myślałam o niej. Jaka była dzielna, jaka silna i jak wielu wyrzekła się rzeczy i osób. Zastanawiałam się, czy któraś z tych osób jeszcze żyje, czy ona też tak wiele dla nich znaczyła, czy przechowują jej fotografie. No i zadumałam się nad tym mężczyzną, który pisał do niej listy, kim on był dla niej i co się z nim stało. Nawet jednak bez możliwości ich odczytania wiedziałam wszystko. Pieczołowitość, z jaką zawiązała kokardkę, z jaką przechowywała listy sprzed pół wieku, zabierając je ze sobą do domu opieki – mówiła sama za siebie. Musiał być dla niej kimś ważnym i jak się łatwo domyśliłam ze wszystkiego, co do niej pisał, musiał ją najczulej kochać.

Miała inne życie, zanim się pojawiła w naszym, a już zwłaszcza w moim. Życie zupełnie inne niż to, w którym umiejscowiliśmy ją w Vermoncie, życie dawne, czarodziejskie, fascynujące i pełne świetności. Pamiętam, jak surowo wyglądał mój dziadek na zdjęciach. Mam nadzieję, że ten człowiek dał jej szczęście, że ją kochał. Zabrała jego tajemnicę do grobu, a teraz oddała mi ją... razem z baletowymi pantoflami... z programem *Jeziora łabędziego*... i z jego listami.

Spojrzałam jeszcze raz na fotografię w medalionie i instynkt mi powiedział, że listy są właśnie od niego. I znowu setki pytań. Nie było komu na nie odpowiedzieć. Pomyślałam zaraz, żeby dać te listy do przetłumaczenia: wiedziałabym wtedy, o czym mówią. Równocześnie jednak poczułam, że naruszenie ich tajemnic jakoś by ją obrażało. Ona mi tych listów nie dała. Po prostu zostały po niej.

Byłyśmy sobie bardzo bliskie, miałam więc z kolei nadzieję, że nie wzięłaby mi za złe tego wtargnięcia w jej sprawy. Były z nas pokrewne dusze. Pozostawiła mi po sobie setki wspomnień o wspólnie spędzonym czasie, o tym, cośmy razem robiły, o legendach i bajkach, które mi opowiadała. Może wśród innych legend nie wzbraniałaby się podzielić ze mną również tą cząstką własnych dziejów. Przynajmniej taką miałam nadzieję. No i tak podniecenie rozpalało się we mnie nad odnalezionymi listami i zdjęciami, aż zrobił się z tego pożar nie do ugaszenia. Nie było ucieczki przed tą cząstką prawdy, którą ona ukryła na całe życie.

Dla mnie zawsze była stara, zawsze moja, zawsze była babcią Dan. W innym czasie, w innym miejscu był jednak taniec, ludzie, śmiech, miłość. Zostawiła tylko wzmiankę o tym, by mi uprzytomnić, że kiedyś była młoda. A zrozumiałam to wreszcie, wpatrzona w uśmiech na twarzy młodej baletnicy ze zdjęcia. Tęsknota za nią wycisnęła mi łzę z oka, kiedy tak siedziałam i uśmiechałam się, trzymając w ręku spowiałe różowe pantofle, które zostawiła mi w spadku. Tuląc policzek do starodawnej różowej satyny, wpatrywałam się w paczki listów, starannie powiązane wstążkami. Miałam nadzieję, że w końcu poznam jej historię. Szóstym zmysłem czułam, że jest tu o czym opowiadać.

Rozdział pierwszy

Danina Pietroskowa urodziła się w Moskwie w roku 1895. Jej ojciec był oficerem w pułku litewskim, miała też czterech braci. Wysokich, eleganckich, w mundurach. Przynosili jej słodycze, kiedy zaglądali do domu z wizytą. Najmłodszy był o dwanaście lat starszy od niej. Kiedy byli w domu, śpiewali i bawili się z nią, razem robiąc niezły hałas. Lubiła ich obecność, ich silne ramiona, w których co chwila ginęła, kiedy biegali z nią, udając jej wierzchowce. Było dla niej oczywiste, jak dla każdego zresztą, że bracia za nią przepadają.

O matce Danina pamiętała tyle, że miała śliczną twarz i wdzięczne obejście, że jej perfumy pachniały bzem i że śpiewała córce na dobranoc, kończąc w ten sposób długie cudowne opowieści o tym, jak sama była dziewczynką. Lubiła się śmiać, toteż Danina ją kochała. Zmarła na tyfus, kiedy mała miała pięć lat. Po śmierci matki zmieniło się całe życie Daniny.

Ojciec nie miał pojęcia, co z nią począć. Nie był przygotowany do zajmowania się dzieckiem, zwłaszcza tak małym, i to dziewczynką. Był wojskowym, tak jak i jego synowie. Najął więc kobietę do opieki nad małą, potem zmieniał te opiekunki, ale po dwóch latach uprzytomnił sobie, że po prostu dłużej tak być nie może. Musiał znaleźć dla Daniny jakieś inne wyjście. I znalazł – jak mu się wydawało, doskonałe. Wybrał się do Petersburga, żeby wszystko urządzić. Madame Markowa w rozmowie wywarła na nim duże wrażenie. Była niewiastą wybitną, a szkoła i towarzystwo baletowe, które prowadziła, miały zapewnić Daninie nie tylko dom, ale też pożyteczny sposób spędzania czasu i spokojną przyszłość. Gdyby okazało się przypadkiem, że dziewczynka to prawdziwy talent, życie miałaby tu urządzone, przynajmniej dopóty, dopóki mogłaby tańczyć. Takie życie nie było łatwe, wymagało od małej wielkich poświęceń, ale jego żona kochała kiedyś balet, w głębi serca był więc przekonany, że matka dziewczynki byłaby zadowolona z rozwiązania, jakie znalazł. Utrzymanie córki miało być kosztowne, uważał jednak, że sprawa warta jest poświęcenia, zwłaszcza gdy z czasem zostanie wielką tancerką. Z tym ostatnim liczył się poważnie. Była przecież dziewczynką zgrabniutką jak mało która.

Ojciec i dwaj bracia odwieźli Daninę do Petersburga w kwietniu, kiedy tylko skończyła siedem lat. Na ulicach leżał jeszcze śnieg. Z zadartą głową wpatrując się w swój nowy dom, czuła, że wszystko w niej w środku drży. Była przerażona. Nie chciała, żeby ją tu zostawili. W żaden sposób nie umiała ich jednak powstrzymać, żadnym uczynkiem czy słowem. Jeszcze w Moskwie błagała ojca, żeby nie oddawał jej tu do baletu. Odpowiedział, że to dla niej wspaniały prezent, możliwość, która odmieni jej życie: pewnego dnia zostanie wielką baleriną i będzie szczęśliwa, że kiedyś poszła do tej szkoły.

Tego przełomowego dnia nic takiego jednak nie przychodziło jej na myśl. Zamiast rozważać korzyści z nowego życia, marzyła o tym, które właśnie utraciła. Stała, ściskając rączkę swojego neseserka, kiedy stara kobieta otworzyła drzwi. Stara poprowadziła ich przez ciemny westybul. Danina mogła dosłyszeć z oddali okrzyki, dźwięki instrumentów i głosy, i jeszcze jakieś twarde, okropne łomotanie w podłogę. Odgłosy wokoło były dziwne i złowróżbne, a korytarze, którymi szli – ciemne i zimne. Dotarli wreszcie do gabinetu madame Markowej. Oczekiwała ich, kobieta o ciemnych włosach, upiętych w kok bez żadnych ozdób, o gładkiej, bladej jak śmierć twarzy i jasnoniebieskich oczach, które zdawały się przewiercać dziewczynkę na wylot. Danina miała ochotę rozpłakać się na jej widok, ale nie śmiała. Za bardzo była wystraszona.

– Dzień dobry, Danino – powiedziała surowo Madame. – Spodziewaliśmy się ciebie.

Jej głos brzmiał w uszach dziecka jak głos diabła u progu piekła.

– Będziesz musiała bardzo ciężko pracować, jeżeli chcesz mieszkać u nas – ostrzegła Madame, a Danina ze ściśniętym gardłem kiwnęła głową.

– Czy mnie zrozumiałaś?

Mówiła bardzo wyraźnie. Dziewczynka wpatrywała się w nią oczami szeroko otwartymi ze zgrozy.

– Niech ci się przyjrzę.

Wyszła zza biurka w długiej czarnej spódnicy i w krótkim czarnym żakiecie. Strój dobrany był do koloru włosów. Przyjrzała się nogom Daniny, zadarła jej sukienkę, żeby je lepiej widzieć. Wydawała się zadowolona z tego, co zobaczyła. Spojrzała na ojca Daniny i skinęła głową.

– Zobaczymy, jak jej idzie, panie pułkowniku. Balet nie jest dla wszystkich, jak wspominałam.

– To dobra dziewczynka – powiedział łagodnie, a obaj bracia uśmiechnęli się z dumą.

– Mogą nas teraz panowie opuścić. – Madame była świadoma stanu dziecka, bliskiego paniki.

Trzej mężczyźni kolejno ucałowali jej dłoń, a Daninie łzy popłynęły z oczu. W chwilę później pozostawili ją w gabinecie sam na sam z kobietą, która zyskała odtąd władzę nad jej życiem. Po ich wyjściu w pokoju zapadło dłuższe milczenie. Nie odzywała się ani nauczycielka, ani dziecko. Jedynym odgłosem były tłumione pochlipywania Daniny.

– Nie uwierzysz mi teraz, moje dziecko, ale będziesz

21

tutaj szczęśliwa. Kiedyś okaże się, że to jedyne życie, które znasz i którego pragniesz.

Danina spojrzała na nią z podejrzliwą udręką, a wtedy Madame wstała, wyszła zza biurka i podała jej szczupłą, zgrabną dłoń.

– Chodź, popatrzymy na inne.

Zdarzało jej się już przyjmować do szkoły równie małe dzieci. W gruncie rzeczy wolała nawet ten tryb. Jeżeli miały talent, pozostawało tylko należycie je wyszkolić, uczynić taniec ich jedynym życiem, jedynym światem, jedynym przedmiotem pragnień. A w tym dziecku coś ją zastanowiło, jakaś czystość i bystrość spojrzenia. Coś bajecznego i fantasmagorycznego. Kiedy więc tak szły ręka w rękę przez długie, zimne korytarze, wysoko nad głową Daniny starsza kobieta uśmiechała się z satysfakcją.

Zatrzymywały się na chwileczkę w każdej klasie, począwszy od tej, której baletnice występowały już na scenie. Madame chciała pokazać dziewczynce wzór, do którego ma dążyć, zwrócić uwagę na żywość ich tańca, a zarazem na styl i dyscyplinę. Potem przeszły do młodszych tancerek, które miały już za sobą chlubny debiut. Te mogły jej dać inspirację. Na końcu zaś zatrzymały się w klasie uczennic, z którymi Danina miała odtąd razem się uczyć, ćwiczyć i tańczyć. Danina ani rusz nie mogła sobie wyobrazić, jakim cudem miałaby tańczyć jak one. Obserwowała je, aż nagle podskoczyła z przerażenia, kiedy Madame zastukała twardo w podłogę laską, którą w tym właśnie celu niosła.

Nauczycielka zatrzymała klasę, a Madame przedstawiła dziewczynkę i objaśniła, że Danina przybyła z Moskwy i będzie wraz z innymi mieszkać przy szkole. Odtąd miała być najmłodszą i najbardziej dziecinną uczennicą. Pozostałe miały twarde, wyrobione charaktery. Wyglądały przez to na starsze niż w rzeczywistości. Najmłodszym dotąd uczniem był dziewięciolatek z Ukrainy, Danina tymczasem miała dopiero siedem lat. Kilka dziewczynek skończyło dziesięć lat, jedna – jedenaście. Tańczyły już trzeci rok. Danina będzie musiała ciężko się napracować, żeby im dorównać. Kiedy jednak z uśmiechem zaczęły się jej przedstawiać, ona też uśmiechnęła się nieśmiało. Jakby nagle zyskała mnóstwo sióstr zamiast samych braci. Kiedy zaś po obiedzie zaprowadziły ją do internatu, żeby pokazać jej łóżko, poczuła się jedną z nich. Łóżko było małe, wąskie i twarde.

Przed snem tamtego wieczoru myślała o ojcu i braciach. Nie pozostało jej nic, jak tylko rozpłakać się z żalu za nimi. Słysząc jej płacz, dziewczynka z sąsiedniego łóżka przyszła jednak, żeby ją pocieszyć, a wkrótce już kilka siedziało koło niej na posłaniu. Siedziały przy niej i opowiadały o różnych baletach, o tym, jak im tu bywało cudownie, o występach w *Coppelii* albo w *Jeziorze łabędzim* i o tym, jak cesarz i cesarzowa pojawiali się na spektaklu. Opowieści brzmiały tak interesująco, że Danina słuchała z najwyższym przejęciem, niepomna własnych nieszczęść, aż wreszcie zasnęła wśród tych wszystkich zapewnień, że będzie tu taka szczęśliwa.

Nazajutrz rano obudzono ją o piątej, kiedy wszystkie wstawały, i wręczono pierwsze w życiu trykoty i baletki. Śniadanie jadły zawsze o pół do szóstej, a o szóstej miały już w klasach rozgrzewkę. Przy obiedzie była już jedną z nich. Madame zaglądała parę razy, żeby sprawdzić, jak jej idzie. W swoich klasach nie spuszczała jej z oka i codziennie obserwowała postępy wychowanki, chcąc mieć pewność, że uczy się należycie, zanim jeszcze zaczęła tańczyć. Od razu dostrzegła, że to pisklę, które przyfrunęło do nich z Moskwy, jest wyjątkowo wdzięcznym dzieckiem, urodzonym do tańca. Mała była po prostu stworzona do życia, jakie ojciec dla niej wybrał. Po niedługim czasie i dla Madame, i dla innych nauczycieli stało się jasne, że to przeznaczenie ją tu przyniosło. Danina Pietroskowa urodziła się tancerką.

Jej życie, jak zresztą Madame zapowiedziała od początku, poddane było rygorowi, pełne wyczerpującej pracy i przerastających jej wyobrażenia codziennych poświęceń. Przez trzy pierwsze lata znosiła to jednak z niezłomną, niezachwianą determinacją. Tymczasem skończyła dziesięć lat. Żyła tylko tańcem i ustawicznym dążeniem do doskonałości. Czternastogodzinny dzień spędzała prawie wyłącznie w salach ćwiczeń. Była niestrudzona, zawsze gotowa poprawić to, czego się już nauczyła. Madame była z niej nad wyraz zadowolona, jak zapewniała ojca Daniny, kiedy się z nim widziała. Odwiedzał córkę kilka razy do roku, zawsze podbudowany widokiem jej tańca, podobnie jak nauczyciele.

Kiedy przyjechał na pierwszy jej większy występ na scenie, miała czternaście lat. Tańczyła w roli partnerki Franza w mazurze z *Coppelii*. Była już pełnoprawnym członkiem *corps de ballet*, nie tylko uczennicą. Wielce to usatysfakcjonowało ojca. Spektakl był piękny, a precyzja, elegancja stylu i po prostu siła talentu Daniny zapierały dech w piersiach. Ojciec miał łzy w oczach, kiedy patrzył na jej występ, ona zaś, kiedy ujrzała go za kulisami po spektaklu. Był to najbardziej porywający wieczór w jej życiu, marzyła więc tylko o tym, by podziękować ojcu, że przywiózł ją tutaj przed siedmioma laty. Spędziła właśnie w balecie połowę życia, a było to jedyne życie, jakie znała, i jedyne, jakiego pragnęła.

W rok później tańczyła w roli Wróżki Bzu w *Śpiącej królewnie*, a w wieku lat szesnastu miała świetny występ w *Bajaderze*. Jako siedemnastolatka została primabaleriną. Nikt, kto widział ją w *Jeziorze łabędzim*, nie potrafiłby o tym zapomnieć. Madame wiedziała, że brak jej dojrzałości, że prawie nie widziała świata, że nie zna życia, ale dziewczyna miała tak niewiarygodną technikę i styl, że przełożona wstrzymywała oddech i dawała jej pierwszeństwo przed wszystkimi.

Cesarzowa i jej córki znały ją już dobrze. Dziewiętnastoletnia Danina tańczyła na prywatnym spektaklu przed carem w Pałacu Zimowym. Było to w kwietniu 1914 roku. W maju otrzymała zaproszenie na występ w carskiej rezydencji w Peterhofie. Wraz z madame Markową i kilkoma gwiazdami baletu jadła tam obiad z rodziną carską w prywatnych apartamentach. Nigdy jeszcze nie spotkał dziewczyny taki honor i żaden hołd nie znaczył dla niej więcej. Uznanie ze strony ich cesarskich mości było najwyższym awansem, jedynym zaszczytem, do którego naprawdę tęskniła. Ich fotografię w małej ramce umieściła przy swoim łóżku. Szczególnie lubiła spotkania z księżniczką Olgą, tylko o kilka miesięcy młodszą od niej samej. Była też oczarowana carewiczem, który miał dopiero dziewięć lat, ale Daninę uważał za bardzo ładną, jak zresztą każdy, kto ją zobaczył.

Wraz z dojrzałością Danina zyskała rzadki wdzięk, delikatność i równowagę, pewną figlarność, a zarazem ujmujące poczucie humoru. Nic dziwnego, że carewicz bardzo ją polubił. Był wątły, chorował przez całe dzieciństwo. Nie bacząc na tę jego wątłość, żartowała z niego i traktowała go całkiem normalnie, i to właśnie lubił. Był wyjątkowo mądrym, wrażliwym dzieckiem, chętnie podejmował z nią każdą rozmowę. Wydawała mu się taka mocna, taka zdrowa.

Danina obiecała Aleksemu, że któregoś dnia będzie mógł przyjrzeć się jej nauce w klasie, jeżeli madame Markowa pozwoli. Co prawda nie mieściło się jej w głowie, jakim cudem Madame miałaby się nie zgodzić na odwiedziny tak wpływowej osoby, jeżeli pozwoli na nie stan zdrowia i doktorzy. Hemofilia carewicza wymagała stałej obecności przy nim paru lekarzy zapewniających mu pomoc w razie wypadku. Danina współczuła mu, z wyglądu był chory i nieznośnie słabowity, a przecież otaczała go aura ciepła, życzliwości i czegoś bardzo miłego. Cesarzowa była wzruszona jej do niego stosunkiem.

Koniec końców Madame wraz z Daniną otrzymała tego lata zaproszenie od cesarzowej na tydzień do Liwadii, do carskiego pałacu letniego na Krymie. Był to niebywały zaszczyt, ale mimo to Danina nie paliła się do wyjazdu. Nie mogła pogodzić się z myślą o opuszczeniu zajęć i prób na siedem dni. Z pilności sama siebie poganiała do upadłego. Odpowiadały jej surowe wymagania twardego, wyczerpującego, niemal klasztornego życia, któremu wszystko składała w ofierze. Wszystko, co miała, co mogła, co śmiała poświęcić. Dawno już w tej gorliwości przeszła najśmielsze oczekiwania swojej preceptorki. Miesiąc minął, zanim Madame przekonała ją, by przyjęła cesarskie zaproszenie, i to tylko dlatego, że odmowa równałaby się obrazie carycy.

Były to pierwsze jej wakacje, jedyny okres od ukończenia lat siedmiu, kiedy nie tańczyła, nie zaczynała każdego dnia rozgrzewką o piątej, nie zaczynała lekcji w klasie o szóstej, a prób o jedenastej, kiedy przez czternaście godzin na dobę nie zmuszała swojego ciała, by dokonywało rzeczy niemożliwych. W Liwadii, w lipcu tamtego roku, po raz pierwszy w życiu pozwalała sobie na zabawę i wbrew samej sobie bardzo to lubiła.

Madame obserwowała Daninę. Wydawała się jej niemal dziecinna. Bawiła się z wielkimi księżniczkami w morzu, dokazywała z nimi, zaśmiewała się i opryskiwała wodą. Aleksego traktowała z wielką delikatnością. Miała dla niego macierzyńskie uczucia, co z kolei bardzo wzruszało jego matkę. Dzieci zaskoczyło odkrycie, że Danina nie umie pływać. W karnym i dręcząco surowym życiu, które prowadziła, nie miała czasu uczyć się czegokolwiek prócz tańca.

W piątym dniu jej pobytu Aleksy znowu poczuł się źle po tym, jak wstając od stołu po obiedzie, nabił sobie małego siniaka na nodze. Na dwa następne dni został uwięziony w łóżku. Danina siedziała przy nim, opowiadała mu różne rzeczy, które zapamiętała z dzieciństwa w kręgu ojca i braci, snuła nie kończące się opowieści o balecie, o jego surowej dyscyplinie i o innych tancerzach. Słuchał jej godzinami, póki nie zasnął, trzymając jej dłoń. Pomalutku wysunęła się na palcach z pokoju, żeby przyłączyć się do reszty. Było jej go strasznie żal, współczuła mu z powodu okrutnych rygorów, narzuconych przez chorobę. Był taki niepodobny do jej braci albo do chłopców, z którymi ćwiczyła w balecie, zdrowych i pełnych sił.

Aleksy był nadal słaby, ale czuł się już lepiej, kiedy obie, Madame i ona, wyjeżdżały w połowie lipca carskim pociągiem do Petersburga. Wakacje były cudowne, niezapomniany tydzień. Wiedziała, że na zawsze zapamięta tych siedem dni swojego życia. Nigdy nie zapomni zabaw i zażyłości z rodziną carską, piękna otoczenia i tego, jak Aleksy próbował uczyć ją pływać, udzielając instrukcji z krzesła na pomoście.

– Nie, nie tak, głuptasie... tak...

Demonstrował ruchy ramion, które usiłowała naśladować, a potem oboje zaśmiewali się do rozpuku, kiedy to nie wychodziło i Danina udawała, że się topi.

Napisał do niej raz na adres szkoły mały liścik o tym, że tęskni. Jasne było, że chociaż ma tylko dziewięć lat, szaleje za nią. Jego matka zakomunikowała to przyjaciółce z dystyngowanym rozbawieniem. Aleksy w wieku dziewięciu lat ma pierwszą przygodę z baletnicą, zresztą piękną. Co istotniejsze, wiadomo, że to miła osoba. Ale w dwa tygodnie po sielance w Liwadii na świecie zawrzało. Żałosne wypadki w Sarajewie wtrąciły ich nagle w wojnę. Pierwszego sierpnia Niemcy wypowiedziały wojnę Rosji. Nikt nie sądził, by miała potrwać długo, optymiści pod koniec sierpnia przewidywali, że działania zakończą się na bitwie pod Tannenbergiem, tymczasem zaś sytuacja się pogarszała.

Mimo wojny Danina znowu w tym sezonie tańczyła *Giselle*, *Coppelię* i *Bajaderę*. Biegłość osiągnęła zawrotną, w swym rozwoju doszła do takich umiejętności, o jakich marzyła Madame. Jej występ nie mógł rozczarować, wszystko było tak, jak trzeba, a nawet lepiej. Na scenę wnosiła to, co właśnie Madame przed laty wyczuła w jej możliwościach. Miała w sobie dosyć prostolinijnego poświęcenia i nieodzownego samozaparcia. Żadne rozrywki nie odrywały Daniny od jej zajęć. Nie dbała o mężczyzn ani o świat poza sceną. Żyła, oddychała, pracowała i istniała tylko po to, żeby tańczyć. Była tancerką w każdym calu, w przeciwieństwie do niektórych innych, przedmiotu pogardy Madame. Mimo przykładnego treningu i talentu, jeśli takowy miały, aż za często zawracały sobie głowę mężczyznami i romansami. A dla Daniny życie sprowadzało się do baletu, to z niego czerpała siły. Był treścią jej duszy. Był dla niej wszystkim. Żyła dla niego i tylko o niego dbała. To sprawiało, że jej taniec był porywający.

Najlepszy w tym sezonie występ miała w wigilię Bożego Narodzenia. Jej bracia i ojciec walczyli na froncie, car i caryca byli jednak tutaj, oszołomieni pięknem jej tańca. Odwiedziła ich w loży cesarskiej i zaraz spytała o Aleksego. Poprosiła jego matkę o przekazanie mu jednej z róż, które otrzymała, a kiedy wróciła za kulisy, Madame zauważyła, że wygląda na bardziej niż zwykle zmęczoną. Był to długi, porywający wieczór, więc chociaż Danina nie zamierzała się do tego przyznać, czuła się wyczerpana.

Nazajutrz wstała o piątej, nie bacząc na Boże Narodzenie, a o pół do szóstej już robiła rozgrzewkę w sali. Przed południem tego dnia nie było zajęć, nie mogła jednak znieść myśli, że straci całe rano. Zawsze się bała, że zmarnowanie kilku godzin, ba, choćby minuty, może ją kosztować utratę jakiejś części jej wprawy. Nawet w Boże Narodzenie.

Madame zastała ją w sali o siódmej. Po krótkiej chwili coś w ćwiczeniach Daniny wydało się jej dziwne – jakaś niewłaściwa jej sztywność, ociężałość przy wykonywaniu arabesek. Nagle bardzo powoli, jak gdyby w zwolnionym tempie, zaczęła osuwać się na podłogę. Jej ruchy były tak pełne gracji, że mogło się wydawać, iż z absolutną precyzją ćwiczy upadanie. Dopiero kiedy się okazało, że leży bezwładnie, po chwili długiej jak wieczność Madame i dwie inne uczennice nagle zdały sobie sprawę, że straciła przytomność. Przypadły do niej, próbowały ją cucić, a Madame uklękła przy niej na ziemi. Ręce jej drżały, kiedy dotykała twarzy i pleców Daniny, czując suche gorąco jej rozpalonego ciała. Kiedy zaś Danina otworzyła niewidzące oczy, preceptorka od razu dostrzegła, że błyszczą gorączką. Przez noc dziewczyna zapadła na jakąś zagadkową chorobę.

– Dziecko, dlaczego tańczysz, skoro jesteś chora?

Madame wpatrywała się w nią z rozpaczą. Wszyscy słyszeli o influency szalejącej w odległej Moskwie, ale w Petersburgu choroba na razie nie dawała o sobie znać.

– Nie powinnaś była tego robić – skarciła ją Madame delikatnie, obawiając się najgorszego.

Po raz pierwszy jednak Danina wydawała się jej nie słuchać.

– Musiałam... musiałam...

Utrata choćby jednej chwili, pojedynczego ćwiczenia, lekcji czy próby była czymś ponad siły dziewczyny.

– Muszę wstać... muszę...

Jej głos przeszedł w bełkot maligny. Jeden z młodzieńców, od dziesięciu lat jej partner w tańcu, uniósł ją z ziemi jak piórko i poprzedzany przez Madame zaniósł po schodach na górę do łóżka. Przed rokiem wreszcie opuściła wielką salę internatu, w której przemieszkała jedenaście lat. Teraz sypiała w pokoju, w którym stało tylko sześć łóżek. Tu także była lodownia, a warunki równie spartańskie, skromne jak w internacie, wyglądało to jednak troszeczkę przytulniej. Teraz zbiegli się pozostali tancerze i niepewnie wpatrywali w nią od progu. Wiadomość o jej omdleniu rozeszła się już wszędzie, po wszystkich korytarzach szkoły baletowej.

– Czy ona dobrze się czuje... co się stało... ona jest taka blada, Madame... co to będzie... trzeba wezwać doktora...

Sama Danina była zbyt zmęczona, żeby coś im tłumaczyć, zbyt oszołomiona, żeby rozpoznać którąś twarz. W oddali majaczyła tylko wysoka, szczupła postać Mada-

29

me, jej drugiej matki, która stała, pełna niepokoju, w nogach łóżka. Danina była jednak zbyt zmęczona, żeby słuchać, co Madame do niej mówi.

Madame z obawy przed chorobą zakaźną wyprosiła wszystkich z pokoju, a jednej z nauczycielek kazała przynieść herbatę dla Daniny. Kiedy jednak przytknęła filiżankę do warg dziewczyny, ta nie mogła upić ani łyczka. Była bardzo chora i bardzo słaba. Nawet tak, siedząc tylko, podparta mocnym ramieniem Madame, niemal traciła przytomność. Nigdy w życiu nie czuła się tak chora, ale to już nie wydawało się jej ważne. Po południu, kiedy przyszedł doktor, była już pewna, że umrze, ale nie przejmowała się tym. W każdym skrawku ciała czuła ból, łamanie w kościach, jakby ją żywcem ćwiartowano. Każde dotknięcie, każdy ruch, każde muśnięcie szorstkiej pościeli parzyło ogniem. Wszystko, na co było ją stać, kiedy tak leżała w zawieszeniu między maligną a bólem, to myśl, że jeśli natychmiast nie wykona ćwiczenia, nie wróci do lekcji i prób, to zaraz umrze.

Przybyły doktor potwierdził wcześniejsze obawy Madame i nie potrafił rozproszyć jej przerażenia. Rzeczywiście była to influenca. Dodał uczciwie, że nie na wiele może się tu przydać. W Moskwie ludzie marli jak muchy. Madame rozpłakała się, słysząc to wszystko. Próbowała zachęcać Daninę, żeby się trzymała, ale Danina zaczęła rozumieć, że nie wygra tej bitwy. Preceptorkę wprawiło to w jeszcze większą trwogę.

– Czy tak jak mama... czy mam tyfus? – wyszeptała dziewczyna, nazbyt osłabiona, żeby mówić głośniej czy choćby dotknąć Madame, która stała tuż obok.

– Oczywiście nie, moje dziecko. To głupstwo – skłamała przełożona. – Za ciężko pracowałaś i to wszystko. Musisz odpocząć przez parę dni, a odzyskasz siły.

Słowa Madame nie mogłyby jednak oszukać nikogo, a już najmniej chorą, która półprzytomnie rozumiała, jak bardzo jest z nią źle, jak beznadziejny jest jej stan.

– Umieram – powiedziała późną nocą spokojnie i z takim chłodnym przekonaniem w głosie, że nauczycielka, która siedziała przy niej, pobiegła po Madame. Obie kobiety wróciły z płaczem, ale Madame otarła oczy, zanim na powrót przysiadła przy łóżku Daniny. Przytknęła szklankę z wodą do ust chorej, ale nie zdołała jej nakłonić do wypicia. Danina nie czuła ani pragnienia, ani siły, żeby pić. Gorączka nie opadała, oczy płonęły jej chorobliwie.

– Umieram, prawda? – wyszeptała do swojej starej przyjaciółki.

– Nie pozwolę ci na to – odparła spokojnie Madame. – Nie tańczyłaś jeszcze w *Rajmondzie*. Planowałam to na ten sezon. Wstyd byłoby umrzeć, kiedy się tego nie spróbowało.

Danina usiłowała się uśmiechnąć, ale nic z tego nie wyszło. Za bardzo była rozbita chorobą, żeby odpowiedzieć.

– Nie mogę jutro stracić próby – wyrzęziła w chwilę później do czuwającej przy niej nocą Madame. Jakby nie tańcząc, miała zaraz umrzeć. Balet dawał jej siłę do życia.

Doktor ponownie zajrzał do niej rano, zaaplikował jakieś okłady i podał do wypicia jakieś gorzkie w smaku krople, bez widocznego rezultatu. Późnym popołudniem stan chorej znacznie się pogorszył. Wieczorem zapadła w malignę, wołała coś i mamrotała niezrozumiale, a potem śmiała się z kogoś, kto się jej zwidywał, albo z czegoś, czego nikt poza nią nie słyszał. Wszystkim się wydawało, że ta noc nigdy się nie skończy. Rano widać było po Daninie, ile ją kosztowała. Gorączka była bardzo wysoka. Nie mieściło się w głowie, że dziewczyna tak długo się jej opiera. Trudno jednak było mieć nadzieję, że to przetrzyma.

– Musimy coś zrobić. – Madame wyglądała na oszołomioną.

Doktor powtarzał, że nic więcej nie może zrobić. Wierzyła mu, ale może inny lekarz wymyśliłby coś, na co ten nie wpadł? Z rozpaczą skreśliła po południu pospieszny liścik do cesarzowej. Przedstawiła położenie, ośmielając się zapytać, czy jej cesarska mość nie ma jakichś sugestii lub nie zna kogoś, kogo można byłoby wezwać do Daniny. Madame wiedziała, jak każdy, że w części pałacu Jekatierińskiego w Carskim Siole urządzono szpital, w którym caryca i wielkie księżniczki opiekowały się rannymi żołnierzami. Może tam znalazłby się ktoś, kto by umiał pomóc Daninie. Madame w rozpaczy chwytała się każdej szansy ocalenia chorej. Niektórych szalejąca w Moskwie influeca pozostawiała przy życiu, ale wydawało się to bardziej sprawą szczęścia niż wiedzy medycznej.

Caryca nie marnowała czasu na odpowiedź listowną. Natychmiast przysłała do Daniny młodszego z dwóch lekarzy carewicza. Starszy, sędziwy doktor Botkin, sam właśnie zmagał się z atakiem łagodnej influency. Ale doktor Nikołaj Obrażenski, którego Danina poznała latem w Liwadii, już na długo przed kolacją pojawił się w szkole baletowej, pytając o madame Markową. Jego widok sprawił jej wielką ulgę. Z napięciem wymamrotała coś o łaskawości jej cesarskiej mości, która go tutaj skierowała. Była wciąż tak zatrwożona stanem Daniny, że ledwo dostrzegła, jaki podobny z urody jest lekarz do cara, co prawda w nieco młodszym wydaniu.

– Jak ona się czuje? – zapytał doktor grzecznie.

Z rozpaczy madame Markowa mógł wywnioskować, że młoda baletnica nie czuje się najlepiej. Nawet on jednak, chociaż w szpitalu widział wiele przypadków influency, nie spodziewał się, że tancerka jest aż tak chora, a właściwie aż tak zżarta przez chorobę. Po dwóch dniach organizm wydawał się kompletnie zniszczony. Była odwodniona, nieprzytomna, a kiedy zmierzył jej temperaturę, nie mógł uwierzyć, że jest aż tak wysoka, jak wskazuje termometr, zmierzył ją więc jeszcze raz. Nie miał po tym mierzeniu wielkich nadziei na jej ocalenie. Po sumiennym badaniu obrócił się ku Madame z posępnym wyrazem twarzy.

– Obawiam się, że wie już pani, co mam do powiedzenia. – Spojrzał na nią ze współczuciem.

Z jej oczu mógł wyczytać, jak bardzo Madame kocha Daninę. Dziewczyna była dla niej jak córka.

– Panie doktorze... Nie mogę się z tym pogodzić...

Przełożona ukryła twarz w dłoniach, zbyt osłabiona, zbyt wyczerpana, żeby znieść cios, który właśnie miał jej zadać.

– Jest taka młoda... taka zdolna... ma tylko dziewiętnaście lat... ona nie może umrzeć. Nie może pan na to pozwolić – wyrzucała z siebie zawzięcie, znowu wpatrując się w niego, pragnąc uzyskać coś, czego nie mógł jej dać. Nadzieję, jeśli nie pewność.

– Nie mogę jej pomóc – przyznał doktor uczciwie. – Nie przeżyłaby nawet drogi do szpitala. Jeżeli za parę dni będzie jeszcze wśród nas, może wtedy ją przewieziemy.

Madame wiedziała, że lekarz nie uważa tego za prawdopodobne.

– Może pani jedynie próbować ochładzania jej, żeby zbić gorączkę. Proszę owijać ją mokrymi prześcieradłami i zmuszać do picia, ile się tylko da. Reszta jest w ręku Boga, Madame. Może On potrzebuje jej jeszcze bardziej niż my.

Przemawiał życzliwie, nie mógł jednak jej okłamywać. Zdumiewało go tylko, że chora tak długo to znosi. Wiedział, że niektórzy umierają już pierwszego dnia po ataku tej strasznej influency. A ta dziewczyna była chora już od dwóch dni.

– Uczyni pani dla niej, ile zdoła, Madame, ale proszę pamiętać, że nie zdziała pani cudów. Możemy teraz tylko się modlić i ufać, że Bóg nas wysłucha.

Doktor Obrażenski przemawiał ze smutkiem. Nie zostawiał Daninie nadziei.

– Rozumiem – odparła z przygnębieniem przełożona.

Lekarz przysiadł na chwilę koło nich i raz jeszcze zmierzył temperaturę chorej. Wzrosła nieco. Madame od razu więc zastosowała zimne okłady z prześcieradeł, które zalecił. Uczennice przynosiły prześcieradła, dbając, żeby były mokre i zimne, nie pozwalała im jednak pozostać w pokoju w obawie, że się zarażą. Pięć dziewcząt, które na co dzień dzieliły pokój z Daniną, odesłano do ogólnej sypialni internatu. Tam miały spać wśród innych na dziecinnych łóżkach lub na materacach. Wstępu do własnego pokoju im wzbroniono.

– Jak teraz się czuje? – spytała Madame niespokojnie po godzinie okładania piersi, ramion i twarzy Daniny mokrymi prześcieradłami. Chora była zupełnie nieświadoma ich obecności i zabiegów, leżała śmiertelnie blada, wstrząsana dreszczami, z twarzą białą jak pościel na łóżku.

– Mniej więcej tak samo – odparł doktor po ponownym mierzeniu temperatury. Nie chciał powiedzieć Madame, że gorączka chyba jeszcze wzrosła. – Nie poprawi się tak od razu.

Wątpił, czy w ogóle. I jego jednak uderzyło, jak śliczna jest Danina, nawet teraz, kiedy leży niemal bez życia. Była uderzająco piękna, o subtelnych rysach, ciele filigranowym i niewiarygodnie zgrabnym. Długie, ciemne włosy rozsypały się na poduszce. Miała jednak wygląd umierającej, który znał aż za dobrze. Pewien był, że dziewczyna nie dożyje rana.

– Czy nic już więcej nie możemy zrobić? – Madame była zrozpaczona.

– Proszę się modlić – odparł Obrażenski i dodał z powagą: – Czy wezwała pani jej rodziców?

– Ma ojca i czterech braci. O ile wiem, wszyscy są na froncie. Tak mi mówiła.

Wojna wybuchła dopiero parę miesięcy temu, a ich pułk wyruszył jako jeden z pierwszych. Danina była z nich bardzo dumna i często o tym wspominała.

– Nic więc pani nie pozostało do zrobienia. Musimy czekać i obserwować.

Rzucił okiem na zegarek. Był przy Daninie już od trzech godzin. Wiedział, że musi wracać do Carskiego Sioła, żeby być w pobliżu carewicza Aleksego, a droga tam zabierze mu godzinę.

– Wrócę rano – obiecał.

Obawiał się jednak, że do tego czasu Pan Bóg weźmie sprawę w swoje ręce.

– Proszę dać mi znać, jeżeli uzna pani, że jestem potrzebny.

Podał jej swój adres domowy, gdyby musiała kogoś do niego posłać. Zanim jednak zdążyłby przybyć z wysłaną po niego osobą, byłoby już po Daninie. Z żoną i dwojgiem dzieci mieszkał poza Carskim Siołem. Był jeszcze młody, nie miał czterdziestki, a wyjątkowej odpowiedzialności, zdolnościom i oddaniu zawdzięczał to, że powierzono mu opiekę nad następcą tronu. Z urody zaś był dziwnie podobny do ojca chłopca. Te same rysy twarzy, ten sam wzrost i broda, zadbana i przycięta dokładnie tak jak u cara. Nawet bez brody doktor przypominał go do złudzenia, tyle że włosy miał ciemniejsze, prawie takie jak Danina.

– Dziękuję, że pan przyszedł, panie doktorze. – Madame uprzejmie odprowadziła go do drzwi.

Ta długa droga oddalała ją od podopiecznej, ale spacer przez chłodne korytarze dawał wytchnienie, a kiedy otworzyła ciężkie drzwi frontowe, podmuch zimnego powietrza zaskoczył ją i orzeźwił zarazem.

– Gdybym mógł więcej zrobić dla niej... i dla pani – odparł życzliwie. – Trudno nie zauważyć, jaka to dla pani zgryzota.

– Traktuję ją jak własne dziecko. – Łzy napłynęły do oczu Madame, on zaś na widok jej bólu łagodnie ujął ją pod ramię. Poczuł się całkiem bezradny.

– Może Bóg okaże się miłosierny i oszczędzi ją.

Mogła tylko skinąć głową. Wzruszenie odebrało jej mowę.

– Wrócę jutro jak najwcześniej rano.

– Codziennie zaczyna rozgrzewkę o piątej albo wpół do szóstej – powiedziała przełożona, jakby to miało jeszcze jakieś znaczenie.

– Musi bardzo ciężko pracować. Jest znakomitą tancerką – rzekł lekarz z podziwem.

Nie wierzył, by któreś z nich miało jeszcze zobaczyć jej taniec, cieszył się jednak, że sam go przynajmniej raz widział. Myśl o tym dzisiaj graniczyła z tragedią.

– Widział pan, jak tańczy? – Madame miała rozpacz w oczach.

– Tylko raz. W *Giselle*. To było przepiękne – odparł łagodnie.

Wiedział, jakie to wszystko trudne dla Madame. Nie sposób było nie zauważyć.

– Jest jeszcze lepsza w *Jeziorze łabędzim* i w *Śpiącej królewnie*. – Uśmiechnęła się smutno.

– Będę o tym pamiętał – powiedział uprzejmie, ukłonił się i wyszedł. Zamknęła za nim ciężkie drzwi i przez korytarze ruszyła spiesznie z powrotem do Daniny.

Madame nigdy nie zapomniała tej nocy, pełnej bólu i rozpaczy, a zarazem gorączki, maligny i przerażenia stanem Daniny. Nad ranem wydawało się, że Danina żegna się z życiem. Madame siedziała przy jej łóżku, sama niemal jak umarła, umęczona, nie śmiała jednak opuścić jej aż do chwili, gdy doktor powrócił o piątej rano.

– Dziękuję, że pan przyszedł tak wcześnie – wyszeptała, wpuszczając go do ponurego wnętrza. Panowała tu już atmosfera utraty i żałoby. Nawet Madame wydawało się teraz niemożliwe zwycięstwo w tej walce. Danina nie odzyskała świadomości od zeszłego rana.

– Przez całą noc martwiłem się o nią – przyznał doktor z zakłopotaniem.

Z twarzy starszej kobiety wyczytał, jak minęła noc. Danina ledwo oddychała. Zbadał jej puls i zmierzył temperaturę. Zaskoczyło go, że temperatura nieco opadła, tętno jednak było słabe.

– Dziewczyna walczy, i to z powodzeniem. Na nasze szczęście jest młoda i silna.

Nawet jednak młodzi umierali w Moskwie w zastraszającej liczbie, zwłaszcza dzieci.

– Przyjmowała trochę płynów?

– Od kilku godzin nie – przyznała Madame. – Nie bardzo mogłam skłonić ją do przełykania, bałam się, żeby się nie udusiła.

Skinął głową. W istocie nie mogli nic poradzić, uzgodnił jednak, że zostanie tu parę godzin. Jego starszy kolega, doktor Botkin, wydobrzał na tyle, że w razie konieczności mógł służyć pomocą następcy tronu. Doktor Obrażenski chciał być przy Daninie, gdyby miała umrzeć. Mógłby przynajmniej dodać otuchy przełożonej.

Siedzieli godzinami w milczeniu obok siebie, na twardych krzesłach w nagim pokoju. Niewiele mówili, od czasu do czasu lekarz badał chorą. Proponował, żeby Madame spróbowała chwilę odpocząć, póki on tutaj jest, ona jednak odmówiła. Nie chciała się oddalać od swojej ulubionej tancerki.

W południe Danina wydała wreszcie bolesne westchnienie i poruszyła się niespokojnie. Brzmiało to jak jęk cierpienia, kiedy jednak doktor raz jeszcze zbadał chorą, nie dopatrzył się w jej stanie niczego nowego, żadnej odmiany. Zdumiewało tylko, że dziewczyna tak długo trzyma się życia. Zaiste, zawdzięcza to swej młodości, sile organizmu i kondycji fizycznej. Aż dziw, że nikt inny w szkole baletowej nie złapał tej zarazy. Tylko Danina.

O czwartej po południu doktor Obrażenski był nadal na miejscu. Nie chciał odejść przed końcem. Madame zdrzemnęła się na krześle, doktor sam więc zauważył, że Danina zaczyna być niespokojna. Znowu kręciła się i pojękiwała, ale Madame była zbyt zmęczona, żeby to usłyszeć. Doktor zbadał ją i stwierdził słabą i nieregularną pracę serca. Uznał to za objaw rychłego końca. Puls był nierówny, chora miała trudności z oddychaniem, pojawiały się wszystkie oznaki, których lekarz się spodziewał. Gdybyż mógł jej ulżyć w tych ostatnich chwilach! Nie mógł jednak zrobić nic ponadto, że był przy niej. Po ponownym badaniu tętna ujął jej rękę i po prostu głaskał ją łagodnie, obserwując dziewczynę, patrząc w twarz młodą i śliczną, a tak teraz umęczoną chorobą. Przykro było mu to widzieć i czuć się zarazem tak bezużytecznym. Chciałby przywrócić ją do życia, do zdrowia, przypominało to jednak zmagania z demonami. Łagodnie dotknął jej czoła. Znowu poruszyła się niespokojnie i coś powiedziała. Zwracała się jak gdyby do przyjaciela czy do jednego z braci. A potem wymówiła pojedyncze słowo, otworzyła oczy i wpatrzyła się w niego. Sto razy widział takie sceny, był to ostatni poryw życia przed zgonem. Oczy miała szeroko otwarte. Wymówiła wyraźnie:

– Mamo, widzę cię.

– Cicho, cicho, Danino, jestem tutaj – uspokajał ją. – Teraz już wszystko będzie dobrze.

Wkrótce miało być po wszystkim.

– Kim pan jest? – spytała chrapliwym, ochrypłym głosem, jakby go widziała.

Wiedział, że tak nie jest. Widziała jakieś majaki, ale na pewno nie lekarza.

– Jestem twoim lekarzem – powiedział cicho. – Przyszedłem, żeby ci pomóc.

– Och. – Na powrót zamknęła oczy, a głowa opadła jej na poduszkę. – Zobaczę się z moją matką.

Jak pamiętał, Madame mówiła, że dziewczyna ma tylko ojca i braci, pojął więc, o co jej chodzi.

– Nie chcę, żebyś to zrobiła – powiedział twardo. – Chcę, żebyś została tutaj ze mną. Potrzebujemy cię, Danino.

– Nie, muszę iść. – Z zamkniętymi nadal oczyma odwróciła od niego głowę. – Spóźnię się na lekcję i Madame będzie się gniewać.

Była to najdłuższa kwestia, jaką wypowiedziała od dwóch dni. Było jasne, że chce odejść albo wie, że musi.

– Na lekcję, Danino, musisz zostać tutaj... w przeciwnym razie Madame albo ja będziemy się bardzo gniewać. Otwórz oczy, Danino... otwórz oczy i spójrz na mnie.

Ku jego wielkiemu zdziwieniu zrobiła to i spojrzała w prawo, w jego stronę, niesamowitymi oczyma w drobnej, bladej twarzy, jakby skurczonej w gorączce.

– Kim pan jest? – powtórzyła, głosem znużonym, świadczącym o jej samopoczuciu, słabym jak ona sama. Tym razem lekarz wiedział, że go widzi. Łagodnie dotknął jej czoła. Po raz pierwszy od dwóch dni było wyraźnie chłodniejsze.

– Jestem Nikołaj Obrażenski, mademoiselle. Jestem pani lekarzem. Przysłała mnie jej cesarska mość.

Skinęła głową i na moment przymknęła oczy, a potem znowu je otworzyła, żeby wyszeptać:

– Widziałam pana w lecie przy Aleksym... w Liwadii...

Pamiętała. Wróciła z zaświatów. Wciąż jeszcze miała przed sobą długą drogę, ale – jakkolwiek wydawało się to nieprawdopodobne – zły urok wreszcie się rozwiał. Doktor omal nie krzyczał z podniecenia, nie chciał jednak cieszyć się przedwcześnie. To jeszcze ciągle mógł być wybuch energii przed końcem. Nie wierzył na razie własnym oczom.

– Jeżeli pani wytrwa, w lecie nauczę panią pływać – podrażnił ją delikatnie, pomny ogólnego śmiechu, kiedy próbował ją uczyć Aleksy. Niemal się uśmiechnęła, czuła się jednak zbyt słaba, żeby zdobyć się na coś więcej niż spojrzenie.

– Ja muszę tańczyć. – Była jakby zmartwiona. – Nie mam czasu pływać...

– Ależ ma pni. Będzie pani musiała trochę wypocząć.

Kiedy to mówił, szeroko otworzyła oczy. Znowu poczuł przypływ otuchy. Jego słowa docierały do niej.

– Muszę być jutro na lekcji.

– O, lepiej już dziś po południu – zakpił.

Tym razem się uśmiechnęła, chociaż był to zaledwie grymas.

– Strasznie pani leniwa. – Teraz on się do niej uśmiechnął, jakby wygrał walkę o jej życie. A przecież nie miał
żadnej nadziei. Godzinę wcześniej wydawało się, że już
po niej, aż tu ocknęła się i rozmawia.

– To pan jest strasznie niemądry – wyszeptała. – Nie
mogę dzisiaj iść na lekcję.

– Dlaczego?

– Nie czuję nóg – powiedziała z troską. – Są jak z drewna, chyba nie mam w nich czucia.

Teraz on wyglądąl na zatroskanego. Wyciągnął rękę,
dotykając jej nóg pod kołdrą. Czuła dotyk, po prostu była
zbyt słaba, żeby poruszyć nogą.

– Jest pani tylko osłabiona, Danino – uspokoił ją. –
Poprawi się pani.

Wiedział jednak, że jeśli nawet dziewczyna rzeczywiście
ocalała, a taka nadzieja zaczynała wreszcie świtać, chociaż
do pokonania wszystkich trudności było jeszcze daleko,
rekonwalescencja potrwa miesiącami. Jeżeli zaś rekonwa-
lescentka ma naprawdę wydobrzeć, będzie wymagała troskliwej i fachowej opieki.

– Będzie pani musiała być bardzo grzeczna, dużo spać,
jeść i pić. – Jakby chciał tego dowieść, zaproponował chorej łyk wody.

Tym razem przełknęła łyczek. Tylko jeden łyczek, to
już jednak był wielki postęp. Kiedy odstawiał szklankę na
stolik przy łóżku, Madame wzdrygnęła się i ocknęła, przerażona, że podczas jej snu stało się coś strasznego. Tymczasem jednak ujrzała, że Danina, słaba wprawdzie, lecz
znowu żywa, blado uśmiecha się do doktora.

– Boże, to cud – wykrztusiła Madame, walcząc ze łzami
ulgi i zmęczenia. Wyglądała prawie tak źle jak dziewczyna,
tyle że nie miała gorączki i nie była chora. Była po prostu
umęczona przerażeniem, że lada chwila straci Daninę.

– Dziecko, lepiej się czujesz?

– Trochę. – Danina skinęła głową, a potem znowu zerknęła na lekarza. – Chyba to pan mnie uratował.

– Nie, to nie ja. Chciałbym mieć tę zasługę, obawiam się jednak, że byłem całkiem bezużyteczny. Siedziałem tutaj, to wszystko. Madame uczyniła dla ciebie o niebo więcej niż ja.

– Bóg to sprawił – orzekła stanowczo Madame. – Bóg i twoja własna wytrzymałość.

Koniecznie chciała zapytać lekarza, czy teraz już dziewczyna wyzdrowieje, wiedziała jednak, że nie może zadać tego pytania przy chorej. Danina rzeczywiście wyglądała znacznie lepiej. Wydawała się raźniejsza, mocniejsza, kryzys chyba minął. Byli już tak pewni, że ją stracą, że Madame jeszcze ciągle drżała.

– Kiedy będę mogła znowu tańczyć? – zapytała dziewczyna lekarza, a on roześmiał się wraz z Madame.

Rzeczywiście czuła się lepiej.

– Nie w najbliższym tygodniu, zapewniam, moje dziecko.

Uśmiechał się, mówiąc to. Nie w najbliższych miesiącach: wiedział jednak, że za wcześnie mówić jej o tym. Nie trudno było pojąć, że jeśli powie jej prawdę, dziewczyna zacznie szaleć ze zmartwienia i poczucia winy.

– Niedługo. Jeżeli będziesz grzeczna i zrobisz wszystko, co zalecę, niebawem staniesz na nogi.

– Mam jutro ważną próbę – podkreśliła.

– Coś mi się zdaje, że ją opuścisz. Nie czujesz nóg, pamiętasz?

– Jak to? – zatrwożyła się Madame, pospieszył ją jednak uspokoić.

– Przed chwilą nie czuła nóg, ale nic im nie jest. Jest po prostu bardzo osłabiona gorączką.

W chwilę później, kiedy próbowali ją posadzić, by podać coś do wypicia, okazało się, że nawet to przekracza jej siły. Mogła tylko unieść nieco głowę z poduszki.

– Czuję się jak ucięta nitka – powiedziała obrazowo, a Obrażenski uśmiechnął się do niej łagodnie.

– Wyglądasz jednak trochę lepiej. Właściwie dużo lepiej,

chyba więc wrócę do innych moich pacjentów, zanim zapomną, jak wyglądam.

Minęła szósta. Był już przy chorej od trzynastu godzin, obiecał jednak, że wróci nazajutrz rano. W drodze do wyjścia Madame, po stokrotnych podziękowaniach, zapytała, co im teraz grozi.

– Długa, bardzo długa rekonwalescencja – odpowiedział uczciwie. – Musi spędzić co najmniej miesiąc w łóżku albo narazi się na nawrót choroby, a za drugim razem może nie mieć tyle szczęścia.

Na samą myśl o tym Madame wzdrygnęła się z przerażenia.

– Minie wiele miesięcy, zanim znowu będzie mogła tańczyć. Trzy, może cztery. Może jeszcze dłużej.

– Jeżeli będzie trzeba, uwiążemy ją w łóżku. Słyszał pan, jaka ona jest. Będzie błagała, żeby pozwolić jej tańczyć już jutro rano.

– Sama będzie zaskoczona, jaka jest słaba. Musi być cierpliwa, to potrwa.

– Rozumiem – z wdzięcznością powiedziała Madame i raz jeszcze wyraziła mu tę wdzięczność przy pożegnaniu. A kiedy zamknęła za nim drzwi, ruszyła powoli z powrotem do pokoju Daniny, myśląc, jakie spustoszenie przyniosłaby śmierć dziewczyny i jakie wszyscy mają szczęście, że jej nie stracili. Była bezgranicznie wdzięczna carycy, że przysłała im doktora. Niewiele mógł poradzić, ale już sama jego tutaj obecność bardzo dodawała im otuchy. Z jego strony też było to poświęcenie, tak długo pozostawać przy Daninie.

Kiedy zaś Madame wróciła do pokoju Daniny, rzuciła okiem na młodą kobietę, którą tak bardzo kochała, i musiała się uśmiechnąć. Danina leżała w łóżku i wyglądała jak małe dziecko. Z cieniem uśmiechu na ustach spała najgłębszym snem.

Rozdział drugi

Zgodnie z obietnicą doktor Obrażenski zajrzał do Daniny nazajutrz, tym razem jednak dopiero po południu, wiedział bowiem, że niebezpieczeństwo minęło. Zbudowany był widokiem chorej, która już je i pije. Wciąż jeszcze z trudem odrywała głowę od poduszki, ale powitała go uśmiechem. Najwyraźniej ucieszyła się z jego wizyty.

– Jak się czuje Aleksy? – zapytała przy powitaniu.

– Właściwie bardzo dobrze. Znacznie lepiej niż pani teraz. Kiedy go dzisiaj rano widziałem, właśnie z trzaskiem ogrywał w karty swoją siostrę. I on, i wielkie księżniczki, i jej cesarska mość prosili, żeby pani przekazać życzenia rychłego powrotu do zdrowia.

W istocie, Aleksandra Fiodorowna przysłała Madame list. Doktor Obrażenski znał jego treść. Cesarzowa radziła się go w tej sprawie.

Madame nadal czuwała przy chorej, ale nawet ona wyglądała na odprężoną. Czytając list carycy, szeroko otworzyła oczy. Spojrzała na doktora z zaskoczeniem, on zaś potwierdzająco skinął głową. To za jego radą monarchini zapraszała Daninę, by okres rekonwalescencji spędziła w gościnnym pawilonie carskiego pałacu. Będzie tam miała dobrą opiekę i warunki rekonwalescencji, nie zakłócanej rozgwarem szkoły baletowej. Pobyt w Carskim Siole będzie dla niej wytchnieniem, niech doglądana przez lekarzy

43

i troskliwie pielęgnowana odzyskuje zdrowie aż do pełnej regeneracji sił i powrotu do baletu.

Kiedy opuścili pokój Daniny, lekarz zapytał Madame, co sądzi o zaproszeniu cesarzowej. Czuła się nadal mocno zaskoczona. Było to bardzo zaszczytne zaproszenie, nie miała jednak pojęcia, jak przyjmie je Danina. Z baletem łączyły ją tak ścisłe więzi, że Madame nie wyobrażała sobie, by dziewczyna chciała opuścić szkołę choćby na chwilę, nawet teraz, kiedy nie będzie mogła tańczyć. Co prawda, chybaby oszalała, całymi miesiącami przebywając tutaj, obserwując wszystkich, a nie mogąc tańczyć.

– Doskonale byłoby dla niej się stąd wynieść – przyznała Madame. – Nie jestem jednak pewna, czy uda się nam ją o tym przekonać. Podejrzewam, że nawet jeżeli nie będzie mogła tańczyć, zechce tu pozostać. Nie opuszczała nas przez dwanaście lat z wyjątkiem wakacji ostatniego lata w Liwadii.

– Ale przecież spodobało jej się tam, prawda? Tutaj byłoby podobnie. A poza tym miałbym ją na oku. Trudno mi oddalać się tak często i na tak długo jak w ostatnich dniach. Mam swoje obowiązki przy carewiczu.

– Bardzo pan dla niej łaskaw. – Madame mówiła szczerze. – Nie wiem, co byśmy bez pana zrobiły.

– W niczym, ale to w niczym nie mogłem jej pomóc – odparł lekarz skromnie. – Co najwyżej mogłem się modlić, tak jak pani. Miała dużo szczęścia.

Szczęścia do najwyższej protekcji i do uprzejmości osobistego lekarza rodziny carskiej.

– Jej cesarska mość i dzieci będą, obawiam się, bardzo zmartwione, jeżeli ona nie przybędzie. – Tu uprzytomnił Madame fakt, którego była doskonale świadoma. – To bardzo niezwykłe zaproszenie. Daninie byłoby bardzo przyjemnie.

– Komu by nie było? – Madame zaśmiała się pochlebiona. – Mam tutaj co najmniej tuzin baletnic, które zemdlałyby ze szczęścia, gdyby mogły się znaleźć w Carskim

Siole. Sęk w tym, że Danina jest inna. Nigdy nie chce się stąd ruszyć, obawia się, że mogłaby coś stracić. Nigdy nie chodzi po zakupy, na spacer, do teatru. Tańczy i tańczy... i tańczy, a poza tym przygląda się, jak inni tańczą, i tańczy jeszcze więcej. Jest zresztą bardzo do mnie przywiązana, pewnie dlatego, że nie ma matki.

Widać było, że i Madame naprawdę ją kocha.

– Od jak dawna jest tutaj? – zapytał Obrażenski z ciekawością.

Zafrapowała go, była jak jakiś rzadki, delikatny ptak, który ze złamanym skrzydłem wylądował mu u stóp. Za wszelką cenę chciał jej teraz pomóc. Nawet wstawiając się za nią u cara i carowej. To zresztą nie było trudne, oni też za nią przepadali. Nie sposób było nie uwielbiać osoby tak niewiarygodnie utalentowanej.

– Mieszka tu od dwunastu lat – odpowiedziała Madame. – Od ósmego roku życia. Ma teraz dziewiętnaście, niedługo kończy dwadzieścia lat.

– Małe wakacje chyba dobrze jej zrobią.

Był tego absolutnie pewny. Uważał to za ważne dla niej.

– Zgadzam się. Chodzi o to, żeby ją przekonać. Pomówię z nią o tym, kiedy odzyska trochę sił.

Odtąd lekarz zachodził codziennie, a w parę dni później Madame przedstawiła sprawę Daninie. Zaproszenie od rodziny carskiej zaskoczyło dziewczynę i pochlebiło jej, nie miała jednak zamiaru go przyjąć. „Nie mogę pani opuścić", powiedziała po prostu Madame. Była mocno zagubiona po swoim spotkaniu ze śmiercią, a w szkole baletowej czuła się jak w domu. Nie miała ochoty dochodzić do siebie wśród obcych, nawet krwi cesarskiej.

– Nie każe mi pani się przenieść, prawda? – zapytała ze strapioną miną.

Kiedy jednak próbowała się podnieść z pościeli, zarówno ona, jak i Madame zdały sobie sprawę, jak straszny był atak choroby. Nie miała sił nawet siedzieć w fotelu, od razu bliska omdlenia. Trzeba ją było podtrzymywać dla jej własnego bezpieczeństwa. A do łazienki musiano przenosić.

– Potrzebuje pani stałej opieki pielęgniarskiej – wyjaśnił jej doktor przy którejś wizycie. – Przez pewien czas tak będzie, Danino. To straszny ciężar dla wszystkich tutaj. Oni naprawdę są zbyt zajęci, żeby pani pomagać.

Wiedziała, że to prawda, widziała, jakim jest ciężarem dla wszystkich, a zwłaszcza dla Madame. Wciąż jednak nie chciała się z nimi rozstać. To był jej dom, a oni stanowili jej rodzinę. Nie mogła znieść myśli o rozstaniu, a po rozmowie o tym z Madame płakała w nocy.

– Czy nie mogłabyś się przenieść na krótko? – podsunęła Madame. – Dopóki nie nabierzesz trochę sił. To bardzo uprzejme zaproszenie, byłoby ci przyjemnie.

– Boję się – odpowiedziała po prostu.

Nazajutrz rano Madame jednak dalej nalegała, żeby Danina przyjęła propozycję. Niezależnie od przekonania, że będzie to dobre dla samej Daniny, obawiała się urazić cesarzową odrzuceniem wielkodusznego zaproszenia. Zaproszenie na rekonwalescencję do Carskiego Sioła było czymś niezwykłym, wprost niesłychanym, była więc bardzo zobowiązana doktorowi Obrażenskiemu, że się do tego przyczynił. Złożył tym dowód nie tylko życzliwości, ale i niezmiernej uprzejmości oraz szczerej troski o Daninę. Swoimi codziennymi wizytami dokonywał cudów, dodając jej otuchy. Przynajmniej duchem była znów niemal taka jak dawniej. Ciało jednak nie miało dość woli ani siły, żeby tak szybko powrócić do dawnej formy.

– Wydaje mi się, że powinnaś się przenieść – mówiła z mocą Madame.

Pod koniec tygodnia doszła wreszcie do porozumienia z doktorem. Danina, chcąc nie chcąc, dla własnego dobra musi pojechać do Carskiego Sioła. Bez właściwej opieki nigdy w pełni nie dojdzie do siebie, nigdy więc nie będzie w stanie znowu tańczyć. Madame postanowiła ostatecznie rozmówić się z Daniną.

– A jeżeli twój upór będzie cię kosztował pożegnanie z baletem na zawsze? – zapytała surowo.

– Pani sądzi, że może do tego dojść? – W oczach Daniny błysnęła groza.

– Owszem. – Madame wyglądała na strapioną. – Byłaś bardzo, bardzo chora, moje dziecko. Nie możesz teraz kusić losu przez upór albo głupotę.

Zaproszenie nie było ograniczone w czasie, obowiązywać miało, dopóki zdrowie dziewczyny się nie poprawi i nie umożliwi jej powrotu do szkoły baletowej. Niezwykłe zaproszenie. Nawet Danina zdawała sobie z tego sprawę. Ogromnie jeszcze dziecinna, nie bardzo miała ochotę porzucić bezpieczne domowe otoczenie i ludzi, których dobrze znała.

– A gdybym pojechała tam na parę tygodni? – To małe ustępstwo z jej strony stanowiło już dobry początek.

– Nadal nie będziesz w stanie tańczyć. Pojedź co najmniej na miesiąc, a wtedy zobaczymy, jak się będziesz czuła. Gdyby było ci tam okropnie, zawsze możesz wrócić i kontynuować rekonwalescencję tutaj. Pojedź jednak co najmniej na miesiąc, zawsze przy tym możesz zostać dłużej, jeśli zechcesz, skoro cię tak uprzejmie zaproszono. A ja obiecuję, że będę cię odwiedzać.

Danina z trudem przystała na ten kompromis, ale w końcu się zgodziła. W dniu wyjazdu wylewała rzeki łez na samą myśl o rozstaniu z przyjaciółmi i przełożoną.

– Przecież nie wysyłamy cię na Syberię – łagodnie zwróciła jej uwagę Madame.

– A właśnie tak się czuję. – Dziewczyna uśmiechnęła się przez łzy, melancholijnie nastrojona wobec perspektywy rozstania. – Tak bardzo będę za panią tęskniła.

Przysłano po nią specjalny kryty powóz na płozach. Ciepły, wygodny, wymoszczony futrami i grubymi pledami. Cesarzowa niczego jej nie pożałowała. Doktor Obrażenski przybył, żeby towarzyszyć jej w drodze. Przedtem zaś dopilnował wszystkiego w pawilonie gościnnym, również ciepłym i wygodnym. Wiedział, że dziewczynie będzie tu dobrze. Przywiózł też wiadomość od Aleksego, który nie mógł się doczekać Daniny, żeby nauczyć ją nowej sztuczki karcianej.

Tancerze stanęli szpalerem u wyjścia, chcąc widzieć jej odjazd, a kiedy sanie z nią i z doktorem u jej boku ruszyły z miejsca, wszyscy machali na pożegnanie. Danina była tak zdenerwowana, że doktor ujął ją za rękę; drugą ręką gorączkowo machała w odpowiedzi żegnającym. Zanim jeszcze dotarli do Carskiego Sioła, była już śmiertelnie zmęczona emocjami wyjazdu.

– Wie pan, to całe moje życie. Innego nie znam. Byłam tam tak długo, że nie mogę sobie wyobrazić pobytu gdziekolwiek indziej, choćby chwilowo.

Wyjaśniała mu wszystko po drodze, chociaż dobrze to już rozumiał. I jak zwykle był łagodny i sympatyczny.

– Nic pani nie straci przez chwilowe oddalenie. Odzyska pani siły, jak należy, a oni wszyscy, Danino, będą czekali na pani powrót. Będzie pani lepiej niż kiedykolwiek. Proszę mi wierzyć.

Wierzyła i była mu wdzięczna za pociechę i towarzystwo w drodze. Wszystko przy nim wydawało się łatwe. Łatwo było zrozumieć, dlaczego cała rodzina carska tak go lubi.

Zaraz po przyjeździe ulokował ją wygodnie w pawilonie gościnnym, w luksusach, o jakich nigdy się jej nawet nie śniło. Sypialnia miała obicia z różowego atłasu, salonik utrzymany był w tonach modrych i żółtawych. Umeblowanie stanowiły piękne antyki, była osobna kuchnia, czterech służących i dwie pielęgniarki, którzy mieli się nią opiekować. W pół godziny po przyjeździe cesarzowa złożyła Daninie wizytę w towarzystwie Aleksego, który nareszcie mógł jej pokazać swoją karcianą sztuczkę. Oboje przeżyli wstrząs na widok spustoszeń, jakie poczyniła jej choroba, i cieszyli się, że dziewczyna przybyła tutaj na rekonwalescencję. Byli tylko przez chwilę, żeby jej nie męczyć, wkrótce wyszli razem z doktorem. On też miał na względzie jej wyczerpanie. Obiecał zajrzeć rano, żeby się upewnić, czy „prowadzi się przyzwoicie".

Dziwna to była dla niej noc, bez nikogo znajomego w pobliżu, bez pozostałych dziewcząt, które zwykle spały obok. Luksusy luksusami, czuła się jednak samotna. Kiedy więc pielęgniarka weszła do pokoju wkrótce po ułożeniu Daniny do łóżka i zapowiedziała gościa, dziewczyna była zaskoczona. Doktor Obrażenski postanowił raz jeszcze rzucić na nią okiem. Była dopiero ósma, Danina spodziewała się go jednak dopiero nazajutrz rano, toteż zdziwiła ją ta nieoczekiwana wizyta.

– Wracałem do domu – wyjaśnił – i pomyślałem, że sprawdzę, jak pani sobie tu radzi.

Od drzwi objął ją uważnym spojrzeniem i przekonał się o słuszności swych obaw. Nie wyglądała dobrze.

– Coś mi mówiło, że pani czuje się tu samotnie.

– To prawda – przyznała z zakłopotaniem, zdumiona, jak na to wpadł. Jakby czytał w jej myślach.

– Aż mi głupio. – Peszyło ją, że wyda mu się taką niewdzięcznicą.

– Ależ skąd. – Przysunął sobie krzesło do łóżka i usiadł koło niej. – Jest pani przyzwyczajona do licznego towarzystwa.

Widział przecież jej pokój, w którym mieszkała razem z pięcioma innymi tancerkami, z wieloma też zawarł znajomość po jej chorobie.

– Tutaj jest pani całkiem sama, to dla pani wielka zmiana.

A poza tym była taka młoda, zaledwie dziewiętnastoletnia. Zdyscyplinowana wewnętrznie i dojrzała w niektórych sprawach, ale zupełnie niesamodzielna i dziecinna w innych. I to właśnie mu się w niej podobało.

– Czy mógłbym jakoś pani pomóc w tej sytuacji?

– Nie, dziękuję, po prostu lubię pańskie wizyty.

Uśmiechnęła się do niego. Ta wizyta szczególnie ją tego wieczoru wzruszyła. Lekarz odgadł, co ona czuje.

– W takim razie będę zmuszony odwiedzać panią częściej – obiecał.

Teraz było mu łatwiej ją widywać, z pałacu Aleksandrowskiego do jej pawilonu było dwa kroki. Wiedział, że Aleksy i jego siostry zamierzają jej dotrzymywać towarzystwa, od początku było to założenie i główny powód jej tutaj pobytu.

– Długo pani nie pozostanie samotna, a niebawem, kiedy sił przybędzie, zacznie pani wychodzić na spacery i bywać w pałacu.

Nadal jeszcze nie była w stanie sama przejść się po pokoju.

– Zapewniam, że wkrótce poczuje się pani lepiej.

Naraz zrobiło się jej głupio, że czuje się samotna. Wszyscy byli dla niej tacy mili. Zamiast tęsknić do koleżanek i do Madame, ucieszyła się nagle, że tutaj przyjechała.

– Dziękuję, że pan to tak urządził – powiedziała z wdzięcznością. – Przyjemnie mi tutaj.

– Cieszę się z pani przyjazdu, Danino – odparł spokojnie, z pewną ulgą i z lekkim zmęczeniem. Był to dla niego koniec długiego dnia. Danina wiedziała, że pilno mu do domu, do żony i dzieci. Poczuła się winna, że go zatrzymuje, jego obecność dodawała jej jednak otuchy.

– Byłbym bardzo zmartwiony, gdyby pani nie przyjechała.

– Ja też – przyznała z uśmiechem, który go wzruszył, chociaż doktor nie dał tego po sobie poznać. – To śliczny dom.

Rozejrzała się dokoła z podziwem, wciąż jeszcze speszona zbytkiem, którym ją otoczono. Nigdy w życiu nic podobnego nie widziała.

– Sądziłem, że się pani spodoba – zażartował łagodnie.

– Trudno, żeby się nie spodobał – przyznała.

– Pewnie okropnie tęskni pani za tańcem? – Z góry znał odpowiedź, ale fascynowało go jej życie w balecie.

– Żyję, żeby tańczyć – powiedziała. – To tylko znam i tego pragnę w życiu. Nie umiem sobie wyobrazić, jak mogłabym żyć bez tego. Gdybym nie mogła tańczyć, chyba-bym umarła.

Skinął głową, obserwując jej oczy, jej twarz. Lubił z nią rozmawiać. Teraz, kiedy czuła się lepiej, okazywała wspa-niałe poczucie humoru.

– Będzie pani znowu tańczyła, Danino, obiecuję.

Ale nie tak prędko. Wiele wody upłynie, zanim dziew-czyna odzyska dosyć sił, oboje o tym wiedzieli.

– Tymczasem musi pani pomyśleć o innym zajęciu.

Przyniósł już jej cały stos książek, które obiecywała sobie przeczytać. W balecie nie miała czasu na czytanie czegokolwiek.

– Lubi pani wiersze? – zapytał ostrożnie, nie chcąc się jej wydać śmiesznym czy przemądrzałym. Prawdę mówiąc, była to jedna z jego namiętności.

– Bardzo. – Skinęła głową.

– Przyniosę coś jutro. Szczególnie lubię Puszkina. Może by się pani spodobał.

W poprzednich latach mało czytała utworów Puszkina, rada była zatem poczytać go więcej, skoro ma teraz czas.

– Zajrzę do pani jutro po wizycie u Aleksego. Może zjem tutaj obiad, nie będzie więc pani tak samotna. – Mówiąc to, wstał, ociągał się jednak z pożegnaniem. – Noc minie spokojnie, prawda?

Martwił się o nią, nie chciał, żeby było jej źle.

– Będę się dobrze czuła. – Uśmiechnęła się ciepło. – Obiecuję. A teraz niech pan wraca do rodziny, bo pomyślą, że straszna ze mnie nudziara.

– Rozumieją, co znaczy mieć w rodzinie lekarza. Zajrzę jutro – powiedział już w progu. Pomachała mu z łóżka ręką. Raz jeszcze pomyślała, jaki to miły człowiek i jakie miała szczęście, że go poznała.

Rozdział trzeci

Książka, którą nazajutrz przyniósł doktor Obrażenski, była tak piękna, że dziewczynie łzy stawały w oczach, kiedy czytał jej niektóre wiersze. Z wolna uchylał drzwi do świata, którego nie znała i o którym nie miała pojęcia, świata przeżyć i zainteresowań intelektualnych. Dopiero tego ranka zaczęła czytać jedną z powieści, które jej zostawił. Przy obiedzie rozmawiali o niej. Podobnie jak wiersze, które przyniósł, była to jedna z jego ulubionych lektur. Czas, jaki upłynął jej na rozmowie, wydawał się jedną chwilą.

Oboje zaskoczyło odkrycie, że jest już czwarta po południu. Obrażenski zebrał się do wyjścia, z niechęcią uprzytamniając sobie, że chora wygląda na zmęczoną.

– Nie powinienem pani męczyć jak natręt – rzekł ze skruchą. – Nikt o tym nie wie lepiej niż ja.

– Czuję się świetnie – zapewniała, szczerze zadowolona z długiej rozmowy. Obiad jadła w łóżku, a doktor siedział obok przy małym stoliku.

– Chciałbym, żeby teraz pani zasnęła – powiedział łagodnie, pomagając się jej wygodniej ułożyć w łóżku i poprawiając poduszki. Mogła się tym zająć pielęgniarka, miał jednak ochotę zrobić to sam. – Niech pani śpi, ile dusza zapragnie. Zostanę dzisiaj w pałacu na kolacji, a w drodze powrotnej zajrzę tutaj, za pani pozwoleniem.

Tak właśnie postąpił zeszłego wieczoru, czym ją ujął. Znikła pajęczyna duszącej ją samotności.

– Będzie mi miło. – Wyglądała już na senną.

Zgasił lampy koło niej i cicho wyszedł z pokoju. W progu jeszcze się odwrócił. Oczy miała zamknięte, a zanim zdążył opuścić pawilon, już spała. Spała spokojnie do kolacji.

Po przebudzeniu zastała przy łóżku rysunek. Aleksy zaszedł z wizytą po południu, ale pielęgniarka powiedziała mu, że Danina śpi. Zostawił dla niej rysunek, przedstawiający ją, kiedy zeszłego lata usiłowała pływać. Jak większość chłopców w jego wieku uwielbiał z niej żartować, a że była w wieku jego sióstr, nie czuł się wcale skrępowany.

Na kolację dostała bulion. Kiedy doktor Obrażenski wstąpił do niej w drodze z pałacu Aleksandrowskiego, popijała właśnie małymi łyczkami herbatę. Był w pogodnym nastroju, opowiadał o kolacji. Jadał ją z rodziną carską parę razy w tygodniu, raczej częściej niż rzadziej.

– To cudowne osoby – powiedział ciepło. Nie krył admiracji zarówno dla cara, jak i dla carowej. – Mają tyle obowiązków, tyle ciężarów. Czasy są ciężkie, zwłaszcza teraz, kiedy toczy się wojna. W miastach ciągłe niepokoje. Poza tym zdrowie Aleksego to oczywiście ich wieczne zmartwienie.

Hemofilia była stałym problemem, wymagającym bezustannej obecności lekarza przy chłopcu. To dlatego doktor spędzał przy nim tyle czasu, chociaż dzielił swe obowiązki z doktorem Botkinem.

– Panu też musi być ciężko – powiedziała cicho Danina – tyle czasu spędzać z dala od rodziny, od własnych dzieci.

Wiedziała, że jego żona jest Angielką i że mają dwóch synów, dwunasto- i czternastoletniego.

– Cesarz i cesarzowa wydają się to rozumieć. Bardzo uprzejmie wiele razy zapraszali Marie, ale ona nigdy nie przychodzi. Nie cierpi okazji towarzyskich. Woli być w domu z chłopcami albo po prostu spokojnie siedzieć i szyć. Nie interesuje się ani tym, co robię, ani ludźmi, dla których pracuję.

Daninie nie chciało się w to wierzyć, zwłaszcza biorąc pod uwagę, o kim mowa. To nie byli zwykli pracodawcy. Nie mogła wyjść ze zdumienia, że żona doktora w jakiś sposób mu nie zazdrości. Trudno uwierzyć, by była aż tak nietowarzyska. Może jest nieśmiała albo czuje się niezręcznie.

– Słabo mówi po rosyjsku, to także stawia ją w kłopotliwym położeniu. Właściwie nigdy nie starała się nauczyć języka.

Od dawna było to między nimi kością niezgody. Tego jednak Obrażenski nie powiedział Daninie. Skarżyć się przed nią na Marie? Nie pozwoliłby sobie na taką nielojalność. Co prawda, intrygowało go, że te dwie kobiety wydają się tak różne. Jedna tak pełna życia, druga taka znużona, taka nieszczęśliwa, znudzona, wiecznie rozczarowana.

Nawet po chorobie Danina zarażała otoczenie energią i pasją życia. Dla niej rozmowy z nim również stanowiły nowe doświadczenie. Oprócz chłopców, z którymi tańczyła w balecie, nie miała znajomych panów, żadnych flirtów, żadnego romansu. Jej kontakty z mężczyznami sprowadzały się do dzieciństwa spędzonego wśród braci, a teraz nawet ich widywała rzadko. Byli zwykle zbyt zajęci, żeby ją odwiedzać. Raz w roku wpadali do Petersburga, żeby zobaczyć ją w tańcu, a ojciec też przyjeżdżał niewiele częściej. Pochłaniały ich obowiązki w wojsku.

Z Nikołajem Obrażenskim było inaczej. Zyskała w nim kogoś bliskiego, partnera do rozmowy. Powiedziała mu to, a on wydawał się kontent. Rozmowy z nią sprawiały mu przyjemność, dzielił się z nią książkami i opiniami na temat swoich ulubionych wierszy. Niejedno go w niej pociągało, sam więc sobie powtarzał, że to rozkoszna przyjaźń. Zanim dziewczyna tutaj przyjechała, wspomniał chyba o niej Marie, na pewno zaś to uczynił, kiedy była bardzo, bardzo chora, ale wspomniał tylko przelotnie. Powiedział, że wezwano go do śmiertelnego przypadku influency u jednej z tancerek w balecie. Marie nigdy więcej o nią nie zapytała, a on, kiedy poznał Daninę bliżej, postanowił o niej więcej nie mówić. Z różnych powodów prościej było zachować ich przyjaźń w sekrecie.

Dawniej by tak nie postąpił, teraz jednak, po piętnastu latach, odkrył, że opowiadanie Marie o jego sprawach to niewielka przyjemność. Chyba zupełnie jej to nie interesowało. Przeważnie w ogóle się do niego nie odzywała. Parę lat wcześniej przeszli ciężkie chwile. Chciała wtedy wrócić do Anglii albo przynajmniej wysłać tam synów do szkoły. Sprzeciwił się temu. Chciał, żeby byli przy nim, by mógł ich widywać. Teraz już nawet nie miała mu tego za złe. Był jej całkiem obojętny. Nigdy jednak nie darowała sobie okazji, żeby nie wspomnieć, jak nie znosi Rosji i tego, że tu mieszka. A z Daniną właśnie czas płynął mu lekko. Nie narzekała na swoje życie. Kochała je we wszystkich przejawach, w ogóle była typem osoby szczęśliwej.

– Czy synowie są do pana podobni? – zapytała kiedyś.

– Ludzie tak mówią. – Uśmiechnął się. – Ja tego nie dostrzegam. Wydaje mi się, że są raczej podobni do matki. To ładne dzieci. Właściwie wyrastają już na młodzieńców. Ciągle o nich myślę jak o małych chłopcach, aż nagle sobie uprzytamniam, że już nimi nie są. Okropnie się na mnie o to gniewają. Bardzo są niezależni. Niedługo wejdą w wiek męski. Będą pewnie służyć w wojsku cesarzowi.

Na myśl o nich przypomniała sobie własnych braci i zatęskniła do nich. Martwiła się o nich dużo bardziej, odkąd zeszłego lata wybuchła wojna.

Opowiedziała mu więc o nich, a on słuchał z uśmiechem. Kiedy racząc go tymi opowieściami, zwróciła się do niego per „panie doktorze", spojrzał na nią żałośnie. Poczuł się nagle taki stary i taki daleki, zupełnie jakby nie zaprzyjaźnili się oboje wkrótce po poznaniu.

Chociaż znała go od ubiegłego lata w Liwadii, na dobre poznała dopiero teraz, od czasu swojej choroby. A przyjaźń łączyła ich coraz mocniejsza.

– Czy nie mogłaby pani mówić mi: Nikołaju? – zapytał. – To jednak byłoby znacznie prostsze.

I bardzo osobiste, ale o tym nie myślała. Podobał się jej. Poprosił o to w tak skromny sposób, wszystko zresztą, co mówił, tak brzmiało. Uśmiechnęła się do niego, bardziej podobna do dziecka niż do młodej kobiety. Ich przyjaźń była przecież całkiem niewinna.

– Oczywiście, skoro pan woli. Przy innych mogę nadal zwracać się do pana bardziej formalnie.

Formalny ton wydawał się właściwszy, odczuwała bowiem między nimi dwojgiem zarówno różnicę stanowiska, jak i wieku. W końcu był od niej o dwadzieścia lat starszy.

– Dobry pomysł. – Jej zgoda najwyraźniej go ucieszyła.

– Czy poznam tutaj pańską żonę? – Danina ciekawa była i jej, i dzieci.

– Wątpię – przyznał uczciwie. – Stara się jak najrzadziej bywać w pałacu. Jak już mówiłem, nie lubi ruszać się z domu, odrzuca więc wszelkie zaproszenia carowej, może z wyjątkiem jednego w roku, kiedy czuje się w obowiązku pojawić.

– Czy to panu nie szkodzi u dworu? – zapytała Danina otwarcie. – Czy cesarzowa nie jest o to zła?

– Nic mi o tym nie wiadomo. Jeżeli nawet tak, to jest zbyt dyskretna, żeby to okazywać. Zdaje sobie, jak sądzę, sprawę, że moja żona nie ma łatwego charakteru.

Po raz pierwszy dał jej wgląd w swoje życie domowe. Właściwie, chociaż poruszali wiele tematów, o nim osobiście nie wiedziała nic. Wyobrażała go sobie na tle rodzinnego szczęścia, w serdecznej atmosferze domu.

– Pańska żona musi być bardzo nieśmiała – orzekła wspaniałomyślnie.

– Nie sądzę. – Uśmiechnął się smutno. Wszystko, co było mu bliskie w Daninie, oddalało go od żony. – Nie lubi ekstrawaganckich strojów i sukien wieczorowych. Jest bardzo angielska w stylu. Lubi jazdę konną i polowanie, lubi przebywać u ojca w majątku w Hampshire. Wszystko poza tym ją nudzi.

Nie dodał „włącznie ze mną", a miał ochotę powiedzieć o tym Daninie. Ich małżeństwo od dawna dla obojga, a zwłaszcza dla niego, stanowiło jeden wielki zawód, pominąwszy tylko dzieci. Byli bardzo różni, on i żona. Ona chłodna i zachowująca dystans, nieraz zgoła obojętna. On serdeczny i otwarty. Ona znudzona życiem, jakie wiódł, w złości potrafiła przezywać go carskim pieskiem salonowym. A Nikołaja do rozpaczy doprowadzały jej narzekania. Nietrudno było zrozumieć, dlaczego Marie nie ma tutaj żadnych przyjaciółek, tak była oziębła i zazdrosna. Nawet synów męczyły jej utyskiwania. Marzyła tylko o jednym, żeby wrócić do Anglii. Oczekiwała odeń niepodobieństwa, że porzuci wszystko, wszystkie swoje tutejsze obowiązki, i wyjedzie wraz z nią. Ostrzegał ją wielokrotnie, że jeśli ma zamiar wyjechać na stałe, będzie musiała to zrobić bez niego.

– Co jej się tutaj tak nie podoba? – W pytaniu Daniny słychać było nieskrywaną ciekawość.

– Rosyjskie mrozy. W każdym razie tak mówi. Klimat w Anglii bynajmniej nie jest przyjemniejszy, chociaż u nas jest zimniej. Nie podobają się jej ludzie, kraj. Nie podoba się jej nawet nasza kuchnia.

Uśmiechnął się. Recytował odwieczną litanię żony.

– Spodobałoby się jej bardziej, gdyby się poduczyła rosyjskiego – powiedziała po prostu Danina.

– Próbowałem jej to wyjaśnić. To jej sposób, żeby się tu nie wiązać. Póki nie mówi po rosyjsku, jest tu właściwie nieobecna, tak się jej w każdym razie wydaje. Nie ułatwia jej to jednak życia.

Zeszło mu na takim życiu piętnaście długich lat, nie posunął się jednak tak daleko, żeby o tym opowiadać Daninie. O tym i o swojej samotności. O tym, jak rad był tu siedzieć i rozmawiać z nią albo dzielić się z nią ulubionymi książkami. Gdyby nie chłopcy, dawno temu pozwoliłby Marie wrócić do Anglii. Z wyjątkiem dzieci nic ich nie łączyło.

– Jej ojciec obawia się teraz o nią z powodu wojny. Sądzi, że w którymś momencie wybuchnie rewolucja. Mówi, że kraj jest zbyt wielki, żeby nim rządzić, a Mikołaj zbyt słaby, żeby to robić. To śmieszne, ale tak uważa. Zawsze miał w sobie coś z histeryka.

Danina słuchała z niepokojem. O polityce nie miała pojęcia. Na co dzień była zbyt zajęta tańcem, żeby wiedzieć, co się dzieje na świecie.

– Czy pan też tak uważa? – zapytała z powagą. – Że będzie rewolucja?

Miała pełne zaufanie do jego sądu.

– Wykluczone – odparł. – Nie sądzę, żeby był choćby cień takiego prawdopodobieństwa. Rosja jest zbyt potężna, żeby mogło tutaj dojść do czegoś takiego jak rewolucja. Car też jest mocny. To po prostu jeden więcej pretekst do narzekań. Żona twierdzi, że narażam życie naszych dzieci. Zawsze ulegała wpływom ojca.

Uśmiechnął się do Daniny. Co za żywość myśli, co za otwarta głowa! Poza baletem wszystko było dla niej niewiadomą, jak gdyby odkrywała świat wokoło siebie. Świat, który, jak się okazuje, miło mu było z nią dzielić. W porównaniu z nią Marie wydawała się taka zmęczona, zła, zgorzkniała. Życie w Rosji nie wpływało korzystnie na jej usposobienie.

Marie była kiedyś uroczą dziewczyną, ciekawą świata. Mieli wspólne poglądy i zainteresowania. Pasjonowała się medycyną i jego karierą lekarską. Wzięła mu jednak za złe dworskie stanowisko i odtąd już wszystko zdawała się mieć mu za złe. Danina wprost przeciwnie. Marie była jednak o siedemnaście lat starsza od Daniny. Nikołaj miał trzydzieści dziewięć lat, a Marie o trzy lata mniej. Danina zaś była nadal dzieckiem. Sprawiło jej ulgę to, co powiedział o rewolucji.

– Jak pan sądzi, czy wojna prędko się skończy? – zapytała naiwnie, a on dodał jej otuchy uśmiechem, chociaż liczba ofiar, liczba poległych przerastała już wszelkie wyobrażenia. Wszyscy się spodziewali, że wojna skończy się wiele miesięcy temu, ale ku powszechnemu zdumieniu trwała nadal.

– Mam nadzieję – powiedział po prostu.

– Martwię się o mojego ojca i braci – wyznała.

– Nic im nie będzie. Wszyscy wyjdziemy z tego cało.

Przy tej rozmowie poczuła się dużo lepiej. Siedział u niej długo, aż wreszcie zaczął się zbierać do wyjścia. Znowu widać było po niej zmęczenie, on zaś musiał wracać do siebie. Nie mógł bez końca być poza domem.

– Zajrzę do pani jutro – obiecał, wychodząc; po chwili usłyszała, jak jego sanie pomknęły w mrok.

Myślała o tym, co opowiadał o żonie, i o tym, że kiedy opowiadał, nie wyglądał na szczęśliwego. Był jak w pułapce. Danina zastanawiała się, czy mógłby w jakikolwiek sposób naprawić sytuację. Chyba upierając się, żeby żona nauczyła się rosyjskiego albo od czasu do czasu odbywając z nią wycieczki do Anglii. Poruszył ją fakt, że żona doktora wydaje się nie podzielać jego oddania rodzinie panującej. Trudno pojąć reakcje tej kobiety. A potem bezwiednie zaczęła się zastanawiać, czy mimo wszystko Nikołaj nie jest zbyt posępny. Może po prostu przemęczony, pomyślała, kładąc się do łóżka. Wojna wszystkich ostatnio przygnębia. Z tego pewnie wynika to, co mówi o swojej żonie i o innych kłopotach.

Przez myśl jej nawet nie przeszło, że mógłby pragnąć czegoś więcej z jej strony, że mogłaby go interesować inaczej niż jako pacjentka lekarza. W końcu był żonaty i miał dzieci. A jeżeli nawet ma pewne powody do narzekania na żonę, z pewnością nie wygląda to tak źle, jak brzmi. Daninie, która patrzyła na świat z perspektywy mikroskopijnego światka baletu, wszystko to wydawało się całkiem proste, a małżeństwo było dla niej rzeczą świętą. Uważała, że doktor jest szczęśliwszy z Marie, niż to okazuje czy przyznaje.

Przez następne dwa tygodnie nie wspominał o żonie, odwiedzając rekonwalescentkę. Teraz już była w stanie jeść kolację przy stole. Któregoś słonecznego styczniowego popołudnia zabrał ją na krótki spacer po parku. Powietrze orzeźwiało. Danina żartowała z doktorem, pokpiwając z niego, że bierze wszystko tak poważnie. Napożyczał już jej mnóstwo tomików wierszy, a do tego czasu zdążyła przeczytać cztery z jego ulubionych powieści. Tego popołudnia, kiedy Aleksy przyszedł na podwieczorek, Nikołaj pozostał z nimi. Później grali w karty. Aleksy wygrał, głośno przy tym okazując zadowolenie, i aż pisnął z uciechy, kiedy Danina zarzuciła mu oszukiwanie.

– Nie oszukiwałem! – zaperzył się. – To ty grałaś fatalnie.

Stwierdził to trzeźwo, ona zaś udała obrazę.

– Jak śmiesz! Grałam mądrze. Jestem pewna, że oszukiwałeś.

Nikołaj bawił się setnie, obserwując ich w przyjacielskiej komitywie.

– Nie oszukiwałem, zapamiętam ci jednak, że mi to zarzucasz, i kiedy zostanę carem, obetnę ci głowę.

– Nie sądzę, żeby jeszcze kiedykolwiek ktoś zrobił coś takiego – zwróciła się Danina do Nikołaja. – Prawda?

– Jak będę chciał, to zrobię – oznajmił Aleksy, najwyraźniej oczarowany tą perspektywą. – Prawdopodobnie też każę ci obciąć nogi, żebyś nie mogła więcej tańczyć, i ręce, żebyś nie mogła więcej grać w karty.

– Chyba i tak nie będę do tego zdolna, skoro obetniesz mi głowę. Już tego pewnie wystarczy. – Danina uśmiechnęła się.

– No, więc na wszelki wypadek obetnę resztę – snuł dalej rozkosznie krwawe plany. Ni z tego, ni z owego spojrzał na nią z zainteresowaniem. – Czy mogę któregoś dnia przyjść na twój występ w Petersburgu? Kiedy już wrócisz do siebie? Bardzo to lubię.

– I ja też – odpowiedziała przyjaźnie.

– Ale masz jeszcze długo nie wracać. Nie chcę, żebyś szybko wyjechała. – Coś sobie przypomniał: – Matka prosiła, żebym zapytał, czy już czujesz się na tyle dobrze, by przyjść na kolację. – Zwrócił się do Nikołaja: – Czuje się?

– Może w przyszłym tygodniu. Jest jeszcze troszkę za wcześnie.

Była tu dopiero od dwóch tygodni, ciągle jeszcze niepewnie czuła się na nogach i prędko się męczyła.

– Nie wzięłam ze sobą żadnych strojów – jęknęła.

– Możesz się ubrać w nocną koszulę – doradził praktycznie. – Ręczę, że nikt nie zauważy.

– A to kłopot! – Rozśmieszyła ją jego propozycja, ale rzeczywiście nie miała się w co ubrać na kolację z rodziną cesarską.

– Na pewno któraś z dziewcząt mogłaby ci coś pożyczyć – uprzejmie zaproponował Aleksy. Były podobnego wzrostu i tuszy.

– Pan tam będzie? – niewinnie zagadnęła Danina Nikołaja w nadziei, że tak.

Czuła się przy nim tak dobrze, sytuacja byłaby więc dla niej prostsza, gdyby tam był. Myśl o kolacji z rodziną monarszą mocno ją jeszcze onieśmielała.

– Zapewne. – Uśmiechnął się do niej. – Pierwszy raz o tym słyszę, ale jeżeli tego dnia wypadnie mój dyżur, będę tam.

Wiedział, że jeśli nawet nie zamierzają go zaprosić, może to urządzić, odpowiednio ustawiając plan dyżurów. Obaj lekarze mieli dość elastyczny rozkład zajęć, a jego kolega miał lepsze niż Nikołaj powody, by wieczorami bywać w domu, toteż czuł się uszczęśliwiony, ilekroć Nikołaj brał nocny dyżur.

Nikołaj odprowadził wreszcie Aleksego do pałacu, Danina mogła się więc zdrzemnąć. Gdy się zbudziła, zaskoczył ją widok Nikołaja, stojącego w sypialni. Marszcząc brwi, przypatrywał się dziewczynie.

– Co się stało?

Przyszło jej na myśl, że wydarzyło się coś złego, coś ją zaniepokoiło w jego spojrzeniu, nie wiedziała jednak, o co chodzi. On zaś nie był pewien, jak ma jej to powiedzieć.

– Chciałem po prostu rzucić na panią okiem. Martwię się, czy nie za długo dzisiaj była pani na spacerze. Bądź co bądź, to pani pierwszy dzień w ogrodzie.

– Czuję się dobrze. – Usiadła, patrząc na niego.

Tęskniła do ćwiczeń, wiedziała jednak, że nie nadaje się jeszcze do tańca. Okropnie ją to deprymowało. Zastanawiała się, jak długo będzie musiała ćwiczyć, żeby wrócić do baletu. Z obawą myślała o swoich mięśniach i ścięgnach. Chyba już całkiem zapomniały, że jest tancerką.

– Przespałam właśnie dwie godziny. Zabawne były te karty z Aleksym.

– Swoją drogą, on rzeczywiście oszukuje. Zawsze mnie ogrywa. – Nikołaj uśmiechnął się szeroko. – Złapała go pani na gorącym uczynku. A on to uwielbia. Przez całą drogę do domu opowiadał, jak to obetnie pani głowę, ile przy tym będzie krwi i jak on się będzie cieszył.

– Nie jestem pewna, czy to bardzo cesarskie zachowanie.

Teraz ona uśmiechnęła się do Nikołaja, rada, że znów go widzi. Zastanowiła się, czy zaszedł tu w drodze na kolację. Zagadnęła go o to, potwierdził. Miał dzisiaj nocny dyżur w pałacu.

– Spróbuję potem wpaść do pani, może być już jednak późno, a pani pewnie się dzisiaj zmęczyła tym spacerem w parku.

Właśnie kiedy to mówił, pielęgniarka wniosła kolację na tacy. Danina szybko wracała do sił. Tego popołudnia dostała list od Madame, która nakłaniała ją, żeby nie spieszyła się z powrotem do baletu. Nie mogąc tańczyć, dziewczyna czuła się jednak jak jakiś zbrodniarz.

Madame przekazała jej wszystkie nowiny, wśród nich wiadomość, że jeszcze jedna dziewczyna z baletu zapadła na influencę, na szczęście o łagodnym przebiegu. Chorowała wszystkiego dwa dni, i to bez gorączki. Miała więcej szczęścia niż Danina.

Doktor pogawędził z nią przez chwilę, ociągając się z wyjściem, aż wreszcie niechętnie udał się na kolację do pałacu. Myślała o nim, siedząc teraz spokojnie w łóżku i popijając herbatę. Jest człowiekiem bardzo dobrze wychowanym, miłym i serdecznym, ona zaś cieszy się jego przyjaźnią. Gdyby nie on i nie jego wstawiennictwo, nigdy w życiu by tutaj nie trafiła, do carskiego pawilonu gościnnego, nie mieszkałaby w tym zbytku, rozpieszczana przez służących i pielęgniarki. Aż dziw pomyśleć, jacy wszyscy są mili i ile miała szczęścia, nie tylko że przeżyła, ale że znalazła się tutaj.

Tego wieczoru już jej nie odwiedził, wywnioskowała więc, że kolacja musiała przeciągnąć się do późna. Może zresztą Aleksy poczuł się gorzej albo po prostu Nikołaj uznał za stosowne okazać grzeczność rodzinie, dla której tak przykładnie pracował. Czytała do poduszki jedną z książek, które jej przyniósł, a nazajutrz rano długo leżała w łóżku, żeby ją skończyć. Ledwie zdążyła się ubrać, kiedy pojawił się w progu z pytaniem o samopoczucie swojej pacjentki.

– Czy dobrze pani spała? – zagadnął troskliwie, ona zaś z uśmiechem zapewniła go, że tak. Potem zwróciła mu książkę, którą przeczytała z wielką przyjemnością. Powiedziała mu o tym. Chyba miło mu było to słyszeć. Przyniósł jej w zamian trzy nowe.

– Jej cesarska mość mówiła o pani wczoraj wieczorem, chciałaby wydać dla pani małą kolację. Kilkoro przyjaciół z Petersburga, nic wielkiego, żeby pani zanadto nie zmęczyć. Jak pani sądzi, czy starczy już pani sił? – Zdawał się o nią niepokoić. Ostrzegał Aleksandrę Fiodorowną, że może być na to jeszcze za wcześnie, Danina była jednak podniecona tym pomysłem.

– Może za parę dni... jak pan sądzi, panie doktorze?

– Sądzę, że robi pani świetne postępy. – Uśmiechnął się do niej. – Nie chciałbym jednak przedwcześnie narażać pani na przemęczenie. Będę pani towarzyszył, a jeśli poczuje się pani zmęczona, odprowadzę ją z powrotem.

– Dziękuję, panie Nikołaju – powiedziała serdecznie.

Wybrali się na spacer po parku. Było zimno, a wiatr silniejszy niż poprzedniego dnia, doktor więc po paru chwilach zawrócił ją do domu. Nie puścił jej ręki, kiedy wracali, ale oboje zdawali się tego nie zauważać. Policzki jej się zaróżowiły, a oczy rozbłysły jaśniej, w ogóle wyglądała zdrowiej niż kiedykolwiek, odkąd tu przybyła. Nadal jednak miała przed sobą długą, bardzo długą drogę, zanim zdoła wrócić do baletu. Zaczęła już ćwiczyć po pół godziny dziennie. Opowiedziała mu o tym, ale stanowczo zabronił jej wracać do tańca wcześniej niż w kwietniu. Dziewczyna musi w pełni odzyskać zdrowie i siły, zanim w ogóle będzie o czym myśleć. Czekały ją długie miesiące rekonwalescencji, ale żadnego z nich nie martwiła ta perspektywa. Danina tęskniła za zespołem baletowym, który zastępował jej rodzinę, ale po iluś tam tygodniach czuła się tutaj zupełnie jak w domu. Teraz zaś bardzo ją nęcił pomysł wydania przez carycę małej kolacyjki.

Doktor został u niej na obiedzie, jak czynił nierzadko, a wkrótce potem pożegnał ją, żeby podjąć swoje obowiązki w pałacu. Jak zwykle wrócił po południu, a później raz jeszcze po kolacji. Weszło to już w nawyk, który obojgu odpowiadał; ona sama teraz oczekiwała tych odwiedzin.

Nazajutrz zgodził się, by cesarzowa wydała kolację dla Daniny. Obecni mieli być jedynie najbliżsi przyjaciele domu, parę osób z rodziny i oczywiście dzieci. Car znowu był na froncie przy wojsku, nie mógł więc uczestniczyć.

W następnym tygodniu wielkie księżniczki przysłały

rekonwalescentce kilka sukien przez Diemidową, pokojów-kę ich matki, a dwie z tych sukien wspaniale leżały na Daninie. Była od księżniczek nieco szczuplejsza, zwłaszcza teraz, po chorobie, ale wystarczyło mocniej niż one ściąg-nąć szarfę, żeby wybrana suknia leżała znakomicie. Była z niebieskiego aksamitu, który wyjątkowo zgrabnie pod-kreślał figurę, obramowana sobolami. Do tego etola i muf-ka, aby Danina nie zmarzła w drodze z domku do gościn-nego pałacu. Wieczorem, w dniu kolacji, Danina ledwo mogła opanować podniecenie. Pozostała w łóżku przez całe popołudnie, próbując nabrać sił. Kiedy Nikołaj zaszedł po nią do willi, jeszcze nie zdążyła się ubrać do końca. Cze-kając, przeglądał tom wierszy, jeden z tych, które jej po-życzył. Pokrzepiał się przy tym parującą herbatą ze srebr-nego samowara na stole. Słysząc odgłos otwieranych drzwi, podniósł oczy i uśmiechnął się, wciąż jeszcze trzymając w ręku szklankę. Wyglądała niesłychanie wytwornie w po-życzonym stroju. Jej ciemne, lśniące włosy miały ten sam odcień, co sobolowe futerko.

– Wygląda pani wspaniale – oświadczył z wyrazem przestrachu. – Obawiam się, że przyćmi pani wszystkich, nawet wielkie księżniczki i jej cesarską mość.

– Wątpię, ale bardzo miło mi to słyszeć.

Wykonała głęboki dworski dyg jak na scenie, podnosząc się jednak powoli z przysiadu, uświadomiła sobie, jak słabe ma nogi. Brak mu było słów, by opisać, co czuje, patrząc na nią. Nie miał pojęcia, skąd to śliczne stworzenie znalazło się w jego życiu, takie wytworne, takie wdzięczne, no i ta-kie ładne. Oczarowały go na równi jej charakter i uroda. Nigdy dotąd nie widział ani nie znał nikogo podobnego.

– Naprawdę, moja droga, wygląda pani pięknie. Idzie-my?

Odpowiedziała skinieniem głowy, on zaś podał jej so-bolową etolę. Raz jeszcze powtórzyła, że wielkie księżni-czki były wyjątkowo wspaniałomyślne, przysyłając jej te sobole.

Krótką odległość do pałacu pokonali w jego saniach. Okrył ją troskliwie ciężkim pledem. Była jasna, mroźna noc i tysiące gwiazd na niebie. A każda wydawała się odbijać w świecach jarzących się blaskiem w oknach pałacu. Doktor szybko wprowadził Daninę do środka i powiódł na górę do przestronnego, pięknie urządzonego salonu, całego w pastelowych jedwabiach i brokatach, pełnego marmurów, malachitu i przepychu. Ten pokój miał znacznie mniej oficjalny charakter niż większość pozostałych. Ogień buzujący na kominku, blask świec, ciepłe przyjęcie, jakie jej zgotowano, wszystko to złożyło się na domowy nastrój, którego chyba nigdy dotąd nie zaznała, nigdy nie była szczęśliwsza. Już samo to, że jest tutaj, w gronie rodziny carskiej i jej przyjaciół, wraz z Nikołajem – już samo to było jak sen. Aleksy nie odstępował jej przez cały wieczór. Przy kolacji na własne życzenie siedział przy niej, z drugiej zaś strony usiadł Nikołaj, żeby móc z bliska „obserwować jej stan". Nie miał jednak czego obserwować, wyjąwszy radość tego wieczoru i przyjemność, z jaką witali ją przyjaciele domu. Wszystkim wydawała się zgrabna, piękna, czarująca.

Rozmawiali z nią o balecie, wkrótce jednak zaskoczyła ich rozległością wiedzy w innych dziedzinach. Dzięki Nikołajowi nareszcie w ostatnich tygodniach miała okazję czytać i poduczyć się wielu rzeczy. Chłonęła nowe informacje jak gąbka i zapamiętywała wszystko, o czym jej opowiadał. Słuchając jej teraz, był z niej dziwnie dumny, jak ojciec z dziecka czy też twórca ze swojego dzieła.

Pozwolił jej na dłuższą wizytę, aż wreszcie po jedenastej, widząc jej rosnącą bladość i słabnące ożywienie, uznał, że najrozsądniej będzie zabrać ją do domu. Szepnął coś dyskretnie cesarzowej, a potem łagodnie powiedział Daninie, że chyba będzie najlepiej, jeżeli już wrócą. Bardzo był emocjonujący ten pierwszy wieczór, ale Danina, chociaż zachwycona każdą chwilą, nie sprzeczała się z lekarzem. Za nic nie chciała się do tego przyznać, była jednak bardzo zmęczona, a jemu nie trudno było to zauważyć. Uśmiech nie schodził jednak jej z twarzy, kiedy w drodze powrotnej do pawilonu odchyliła w saniach głowę do tyłu, wpatrzona w gwiazdy.

Kiedy wprowadził ją do środka, otoczywszy ramieniem, stali przez chwilę bardzo blisko. Oparła mu głowę na ramieniu, po części ze znużenia, bardziej jednak z poczucia swobody, jaka między nimi panowała, i z wdzięczności za wszystko, co dla niej zrobił.

– To był cudowny wieczór, Nikołaju... dziękuję, że mi pan pozwolił... i że tak to pan urządził... wszyscy byli dla mnie tacy mili, to było urocze... – Tutaj przypomniał się jej jeden z gości, bardzo zabawny człowiek. – Szkoda, że car nie mógł być. – Wszyscy zapewniali, że go im brakuje. Danina uśmiechnęła się do przyjaciela. – To było urocze przyjęcie.

– Wszystkich rozkochałaś dzisiaj w sobie, Danino. Hrabia Orłowski uznał panią za nadzwyczaj uroczą.

Hrabia dobrze się trzymał jak na swoje osiemdziesiąt kilka lat, toteż przez cały wieczór umizgał się do niej bez żenady, jego żona była tym zresztą ubawiona. Przez sześćdziesiąt pięć lat małżeństwa pozwalał sobie na to, ale na nic więcej, wobec każdej pięknej kobiety.

– Aleksy był bardzo zawiedziony, że dziś wieczór nie zagrałam z nim w karty – powiedziała, zdjąwszy etolę. Dziwne to było doznanie: powróciwszy razem do domu, omawiać miniony wieczór. Jak gdyby od dawna byli małżeństwem. – Nie zagrałam z nim w karty – wyjaśniła – bo nie chciałam być niegrzeczna wobec reszty towarzystwa.

– Zagra pani kiedy indziej. Może jutro, jeśli oboje będziecie w stanie. Obawiam się, że będzie bardzo zmęczony. A pani? – Popatrzył na nią z troską. – Jak pani się czuje, Danino?

Oczy jej płonęły ożywieniem, jaśniały błękitem bardziej niż zwykle.

– Jestem szczęśliwa i czuję się cudownie, jak po najpiękniejszym wieczorze w życiu.

Stała, patrząc na niego, z lekkim uśmiechem na ustach; zbliżył się do niej powoli. Nie zdjął jeszcze płaszcza.

– Nigdy nie spotkałem kogoś takiego jak pani – powiedział cicho, stojąc tuż przed nią i patrząc na nią z góry. W tej jednej chwili zapomniał, kim ona jest. To nie primabalerina ani nawet jego pacjentka. To jego przyjaciółka, kobieta, która go olśniła, którą pokochał, a przecież nigdy nawet nie marzył o czymś podobnym.

– Jest pani naprawdę niezwykła – dodał szeptem.

Od dalszych jego słów zaparło jej dech w piersiach, a oczy zogromniały ze zdumienia.

– Danino... Kocham cię...

I nie czekając na odpowiedź, pochylił się ku niej i delikatnie ją pocałował. Objął ją, a ona, zaskoczona tym, jaki jest silny, bez zastanowienia przytuliła się do niego i oddała pocałunek. W tejże chwili wymknęła się jednak z uścisku i ze zgrozą podniosła na niego oczy. Co oni zrobili najlepszego? Co teraz zrobią? Wszystko zepsują, jeżeli to zrobią.

– Ja... ja nie... nie możemy... nie wolno nam, Nikołaju... Nie wiem, jak to się stało...

Łzy rozpaczy zakręciły się jej w oczach, kiedy ujął jej ręce. Był pierwszym mężczyzną, którego kiedykolwiek pocałowała, czy też który ją pocałował. Miała dziewiętnaście lat, a on otworzył przed nią drzwi, nigdy wcześniej nie otwierane. Nie miała pojęcia, co teraz począć.

– Ja wiem bardzo dobrze, Danino. – Wydawał się spokojniejszy, niż był w istocie. Serce waliło mu w piersiach, kiedy patrzył na dziewczynę. Czuł przerażenie na myśl, że ją straci. Być może jednym zuchwałym gestem odepchnął ją od siebie na zawsze, a perspektywa ta napełniała go grozą. Niech się dzieje, co chce, byleby jej nie stracił.

– Pokochałem cię, kiedy tylko cię zobaczyłem. Nie przypuszczałem, że przeżyjesz noc. Ale ciągle wracałem do ciebie myślami, jawiłaś mi się jak wcielenie wdzięku i piękna, okaleczony motyl, który, jak sądziłem, nie zdoła ocaleć. Nie miałem jednak pojęcia, kim jesteś, nic o tobie nie wiedziałem... aż do teraz... aż tutaj przyjechałaś i spędzaliśmy codziennie tyle czasu na rozmowach. I teraz kocham ciebie całą, twoje myśli, twój charakter, twoje dobre serce... Danino, nie mogę bez ciebie żyć.

Błagał o łaskę, a zarazem składał jej dar, wiedziała o tym.

– Ale, Nikołaju, przecież ty jesteś żonaty. – Miała łzy w oczach i strapienie na twarzy. – Nie możemy do tego dopuścić. Nie wolno nam... musimy o tym zapomnieć...

– To małżeństwo tylko z nazwy. Wiesz o tym nawet z tych paru rzeczy, które ci opowiadałem. Z pewnością musiałaś to zrozumieć. Nigdy przedtem niczego takiego nie robiłem... Przysięgam... jesteś pierwszą kobietą, jaką kiedykolwiek pokochałem. Nie jestem pewien, czy w ogóle kiedykolwiek się kochaliśmy, ja i Marie. Nie tak jak teraz. A już zwłaszcza nie teraz. Danino, przysięgam ci... ona mnie nienawidzi.

– Może się mylisz, nie rozumiesz właściwie, co ona czuje, jaka jest nieszczęśliwa w Rosji. Może powinieneś wyjechać z nią do Anglii.

Zaczęła chodzić po pokoju, poruszona, nie mogąc zebrać myśli, a on bardziej niż kiedykolwiek obawiał się, że ją straci. A potem odwróciła się ku niemu i powiedziała coś, czego bał się najbardziej. Było to gorsze, niż gdyby mu oznajmiła, że go nie kocha. To, że go kocha, pojął jednak, kiedy go pocałowała. Ona odczuła to podobnie, chociaż lęk ją chwytał na samą myśl o tym.

– Muszę wrócić do Petersburga. Musisz mnie puścić. Nie mogę tu zostać.

– Nie możesz wrócić. Nie masz dość sił, żeby mieszkać w tych zimnych pokojach i znowu tańczyć. Miesiące miną, zanim wydobrzejesz. Znowu byś się rozchorowała. To mogłoby się skończyć katastrofą. – Mówił to niemal ze łzami w oczach. – Błagam cię, nie ruszaj się stąd.

69

Nie mógł znieść myśli o jej oddaleniu.

– Nie mogę być blisko ciebie... Obojgu teraz będzie nam ciążyć na sercu okropna tajemnica, straszny grzech, za który zostaniemy ukarani.

– Od piętnastu lat już jestem karany. Nie możesz mnie skazać na takie dożywocie.

– O czym ty mówisz? – Oczy jej się rozszerzyły. Zakryła usta rękami, jakby przeraziły ją jego słowa.

– Mówię, że dla ciebie jestem gotów na wszystko. Opuszczę żonę, rodzinę... Danino, zrobię dla ciebie wszystko.

– *Nie wolno* ci tego zrobić! Nawet mówić o tym. Nie zniosę myśli, że zrobiłeś coś tak okropnego... Nikołaju, pomyśl o swoich dzieciach!

Mówiła przez łzy, a on odpowiedział jej tak samo.

– Tysiąc razy już o tym myślałem, dzień w dzień, odkąd cię znam. Chłopcy mają dwanaście i czternaście lat, za parę lat będą już dorosłymi mężczyznami, a ja nie mogę z ich powodu być aż do śmierci związany z kobietą, której nie znoszę... i wyrzec się tej jedynej, którą kocham. Proszę cię, Danino, nie uciekaj... zostań tu ze mną... pomówimy o tym... Nie zrobię nic, czego sobie nie życzysz. Obiecuję.

– Nie mów więc o tym więcej. *Nigdy*. Jeśli zdołamy, musimy oboje zapomnieć o wszystkim, co powiedziałeś. Nie mogę być dla ciebie nikim więcej niż jestem. Twoje miejsce jest tutaj, w pobliżu cara i własnej rodziny. Moje życie to balet. Nie mogę ci ofiarować siebie, nie mogę ci oddać życia. Moje życie należy do baletu, póki nie jestem za stara do tańca, a później poświęcę je dzieciom, jak Madame Markowa.

– Czy chcesz mi wmówić, że jako tancerka musisz być mniszką?

Coś podobnego usłyszał po raz pierwszy, chociaż wiedział, że nigdy nie kochała ani nie wiązała się z mężczyznami. Opowiadała mu o tym w którejś z ich wielu rozmów.

– Madame mówi, że życie nieczyste, życie z mężczyzną, rozprasza. Nie można być wielką tancerką, jeżeli chce się być ladacznicą.

Wypaliła to bez obsłonek. Wyglądał na zaskoczonego.

– Nawet mi w głowie nie postało proponować ci rolę ladacznicy, Danino. Mówiłem, że cię kocham i chcę poślubić, jeżeli Marie da mi rozwód.

– A ja ci mówię, że nie mogę tego zrobić. Należę do baletu. To jest moje życie, wszystko, co znam, do tego się urodziłam. I nie chcę, żebyś burzył dla mnie swoje własne życie.

– Urodziłaś się, żeby kochać i być kochaną, jak wszyscy, żeby mieć koło siebie męża i dzieci, które cię kochają, a nie żeby tańczyć w salach pełnych przeciągów, nadwerężać kręgosłup i ryzykować życie, aż umrzesz albo będziesz zbyt stara i kaleka, żeby dalej tańczyć. Zasługujesz na coś więcej i to właśnie chcę ci ofiarować.

– Ale nie możesz. – W jej słowach znów brzmiała rozpacz. – Sam nie masz tego, co chcesz mi dać. A jeżeli Marie nie zgodzi się na rozwód?

– Będzie szczęśliwa, że może wrócić do Anglii. Chętnie okupi wolność, godząc się na rozwód.

– A skandal? Nie będziesz już miał wstępu na dwór. Byłbyś odepchnięty, zhańbiony. Nie chcę do tego dopuścić. Musisz o mnie zapomnieć.

Łzy toczyły się jej po twarzy, kiedy to mówiła.

– Zapomnę, o czym dziś rozmawiamy – wydusił z trudem – jeżeli obiecasz, że zostaniesz tutaj. Nigdy ani słówkiem o tym nie wspomnę. Daję ci słowo honoru.

Omal go ten honor nie zabił.

– Dobrze. – Westchnęła głęboko i odwróciła się do niego plecami. Zwiesiła głowę, a on, patrząc na dziewczynę, miał ochotę ogarnąć ją ramieniem, wiedział jednak, że nie może tego zrobić. Wyglądała na rozpaczliwie nieszczęśliwą, bez porównania jednak mniej nieszczęśliwą niż on.

– Pomyślę o pozostaniu. – Tyle tylko powiedziała, nie oglądając się na niego. Nie mogła. Nadal płakała. – Teraz musisz już iść.

Nie mógł widzieć jej twarzy, tylko dumnie wyprostowany młody kark, dumnie odrzuconą w tył głowę i kaskadę lśniących, ciemnych włosów spadających jej na ramiona. Marzył, by jej dotknąć, objąć ją.

– Dobranoc, Danino – rzekł ze skruchą i tęsknotą w głosie, a w chwilę później usłyszała, jak zamykają się za nim drzwi. Obejrzała się na nie, szlochając.

Nie mogła uwierzyć w to, co zrobili, w to, co powiedział, najgorsza zaś była myśl, że ona też go kocha. A to przecież żonaty mężczyzna, ona więc nie może dopuścić, żeby zburzył swoje życie, stracił pracę lub dzieci z jej powodu. Za bardzo go kocha, żeby mogła do tego dopuścić. Poza tym ma przecież swoje obowiązki w balecie. Aż nadto dobrze pamięta wszystkie surowe przestrogi udzielane przez Madame. Madame tłumaczyła jej zawsze, że jest inna, że nie potrzebuje mężczyzny, że musi pozostać czysta, że musi żyć dla sztuki i dojrzewać w sztuce, że taniec musi być dla niej rzeczą w życiu najważniejszą, i tak też dotąd było. A teraz nagle rozmowa z Nikołajem uprzytomniła jej, że może być całkiem inaczej. Życie z nim byłoby wiecznym szczęściem, ale przecież nie za cenę wszystkiego, co dla niego ważne. Nie wolno jej do tego dopuścić.

Wiedziała, że powinna wrócić do Petersburga, nie zniosłaby jednak teraz rozstania z nim. Nie mogła nawet myśleć o tym, że nie będzie widywać go codziennie, podobnie jak on nie mógłby się wyrzec widywania jej. Mogli teraz jedynie udawać, że nic między nimi nie zaszło, a nie było to wcale proste. Tak sobie jednak postanowiła. Kiedy weszła do swojego pokoju i zaczęła się rozbierać, kolana pod nią się zatrzęsły. Musiała usiąść; nie była w stanie myśleć o niczym, tylko o dotyku jego warg i o tym, co czuła, kiedy ją całował. Bez względu na swoje do niego uczucia, w głębi serca wiedziała jednak, że nigdy go nie będzie miała. W każdym razie, jeżeli tu pozostanie, będą się mogli widywać. Siedziała, patrząc na swoje odbicie w lustrze, myśląc o nim i zastanawiając się, jak by to mieli robić. Tak czy owak, nie będzie to łatwe.

Rozdział czwarty

Nikołaj ani nie zajrzał do niej przez następne dwa dni, ani nie przybył do pałacu. W końcu jednak przysłał jej dwie nowe książki z wiadomością, że złapało go paskudne przeziębienie, a nie chce przywlec do niej choroby. Zobaczy się z nią, kiedy tylko nie będzie to groziło zarażeniem. Nie miała pojęcia, czy jest to prawda, ale jeśli tak, jeśli nie chodziło o nic innego, jego nieobecność była co najmniej wygodna. Dawało to im obojgu czas, by mogli odzyskać panowanie nad sobą i spróbować zapomnieć o tym, co się zdarzyło.

Odczuwała jednak brak jego wizyt i nie umiała sobie znaleźć miejsca w małym domku; próbowała zasnąć i odkrywała, że nie potrafi, pod koniec pierwszego dnia dostała potwornego bólu głowy, ale nie chciała wziąć na to żadnego lekarstwa. Pielęgniarkom wydała się nienaturalnie pobudliwa i rozdrażniona, setki razy przepraszała je za swój zły humor i winiła o to swoją migrenę. Pod koniec drugiego dnia popadła w przygnębienie. Zastanawiała się, czy on aby się na nią nie obraził, czy nie pożałował tego, co powiedział i zrobił, czy przypadkiem nie był pijany, a ona o tym nie wiedziała, i czy nigdy go już nie zobaczy. Mogła znieść ukrywanie, przemilczanie tego, co zaszło, w całej jaskrawości zdała sobie jednak sprawę, że nie może znieść jego nieobecności.

Pojawił się wreszcie, kiedy akurat z okna małego saloniku patrzyła na śnieżycę w parku. Nie słyszała, jak wszedł. Odwróciła się, zalana łzami, bo myślała właśnie o nim, a na jego widok bez zastanowienia frunęła przez pokój prosto w jego ramiona i zaczęła mu opowiadać, jak bardzo za nim tęskniła. Z początku nie był pewien, co to znaczy, czy może zmieniła zdanie i chce się z nim związać, czy też po prostu mówi, że brakowało jej jego towarzystwa.

– Mnie też ciebie brakowało – powiedział zachrypniętym głosem. Zrozumiała, że jego tłumaczenia były szczere, i to jej ulżyło.

– Bardzo – dodał po chwili, uśmiechając się do niej. Nie był jednak tak niemądry, żeby ją pocałować. Trzymał się jej postanowienia sprzed dwóch dni i nie zamierzał znów przekraczać tej granicy, chyba że sama by go do tego zachęciła. A ona żadnym gestem nie zdradziła chęci pocałunku. Podeszła prosto do samowara, nalała i podała Nikołajowi szklankę herbaty. Ręka jej przy tym drżała, lecz twarz była rozpromieniona.

– Tak się cieszę, że byłeś chory... och... to znaczy... to brzmi okropnie...

Roześmiała się po raz pierwszy od dwóch dni, a on też się zaśmiał, siadając koło niej w małym, przytulnym saloniku pawilonu.

– Bałam się, że nie chcesz mnie widzieć.

– Wiesz, że to nieprawda. – Jego oczy powiedziały jej to, co pragnęła usłyszeć, ale czego nie pozwoliłaby mu nigdy raz jeszcze powtórzyć. Była nieprzytomnie szczęśliwa, że go widzi.

– Nie chciałem cię zarazić po tym wszystkim, co przeszłaś. Czuję się już jednak znacznie lepiej.

– Miło to słyszeć. – Była przy nim trochę skrępowana, ale wpatrywała się w niego z natężeniem. Wydawał się jej teraz nawet przystojniejszy, wyższy i mocniejszy. W pewien osobliwy sposób należał teraz do niej, wiedziała o tym, a przez to był jej jeszcze droższy, nawet gdyby nigdy nie mieli się poważyć na to, czego oboje pragnęli.

– Czy byłeś poważnie chory? – Wzruszyła go tym troskliwym pytaniem. W różowej wełnianej sukience wyglądała prześlicznie i nawet młodziej, niż ją zapamiętał. Przedwczoraj wieczorem w sukni z niebieskiego aksamitu wydawała się dostojna i bardzo dorosła, teraz zaś była to młoda dziewczyna, którą jeszcze bardziej niż zwykle miał ochotę pocałować. Wiedział jednak, że tym razem nie może.

– Nie tak jak ty. Dzięki Bogu. Już wyzdrowiałem.

– Nie powinieneś wychodzić w taką śnieżycę – skarciła go, a on uśmiechnął się w odpowiedzi.

– Chciałem zajrzeć do Aleksego – wyjaśnił, ale jego oczy powiedziały jej coś jeszcze. Bardziej niż do Aleksego chciał zajrzeć do niej.

– Zostaniesz na obiad? – zagadnęła uprzejmie, a on skinął głową i uśmiechnął się.

– Z przyjemnością.

Oboje uprzytomnili sobie przy tym, że to możliwe. Mogą spędzać czas razem, tak jak dawniej, nie zdradzając swych sekretów, nawet jedno przed drugim. Zaraz jednak zaczęła się zastanawiać, co będzie, kiedy za parę miesięcy wróci do Petersburga. Czy zapomną o sobie, czy też on będzie się z nią widywał? Czy będzie to tylko pielęgnowanie wspomnień, a ich miłość zniknie jak ślad po jej influency? Trudno było sobie wyobrazić samo rozstanie.

Przegadali czas aż do popołudnia, zwróciła mu kilka książek, on zaś obiecał zajrzeć do niej raz jeszcze wieczorem w drodze do domu. Kiedy wyszedł, wszystko znowu wyglądało normalnie. Wcale jednak nie wrócił tego wieczora, zamiast tego przysłał liścik. Aleksy nie czuł się dobrze, Nikołaj wraz z doktorem Botkinem spędzi więc noc w pałacu przy chorym. Z powodu hemofilii mały wymagał troskliwej opieki, Nikołaj uznał więc, że lepiej się od niego nie oddalać. Danina to zrozumiała. Zwinęła się w kłębek pod kołdrą z jedną z jego książek, spokojna o to, że zobaczy go rano. Jego dwudniowa nieobecność po dramatycznej wieczornej scenie była dla niej udręką. Migrena znikła dzisiaj na sam jego widok.

I znów odczuła ulgę, kiedy nazajutrz rano przyszedł do niej na śniadanie. Ale i ona musiała zdać sobie sprawę, jakiej mocy nabrała nagle łącząca ich więź. Chociaż się umówili, że nie będą więcej mówić o wzajemnych uczuciach, stało się nagle jasne, że nic na świecie nie jest dla niej ważniejsze od jego wizyt, a jego też nurtował niepokój, gdy jej nie było w pobliżu. Oboje żywili jednak nadal przekonanie, że jak długo będzie trzeba, są w stanie zapanować nad palącym ich ogniem, a ona postanowiła okiełznać w sobie to uczucie i nigdy, do końca ich życia, nie poruszać więcej tego tematu. Nikołaj z każdym dniem miał mniej pewności, że stać go na to samo, wiedział jednak, że musi postępować tak, jak ona sobie życzy, bo w przeciwnym razie mógłby ją stracić.

Długo tego dnia rozprawiał o Aleksym, objaśniając jej szczegółowo naturę jego choroby. Doprowadziło ich to do dyskusji o urokach posiadania dzieci. Przedkładał jej, że nie powinna pozbawiać się tej radości, jest bowiem pewien, że byłaby wspaniałą matką. Ona zaś kręciła tylko głową, przypominając mu, jakie ma obowiązki wobec baletu. On na to znowu wyrzucał jej ten niestosowny zapał jako rzecz nierozsądną i niezdrową.

— Madame nie wybaczyłaby mi, gdybym odeszła — odparła cicho.

— Zawsze oddawała i będzie nam oddawać wszystkie siły — dodała po prostu, kiedy skończyli śniadanie. — Oczekuje ode mnie tego samego.

— Dlaczego od ciebie bardziej niż od innych? — zapytał uszczypliwie.

Roześmiała się w odpowiedzi i po raz pierwszy od wielu dni w oczach jej zatańczył figlarny chochlik.

— Bo jestem lepszą od nich tancerką.

Słysząc to, uśmiechnął się szeroko.

— I z pewnością nieporównanie skromniejszą — zakpił.

– Ale masz słuszność. Jesteś lepszą tancerką, choć nadal nie jest to powód, żeby oddać życie w ofierze.

– Balet to coś więcej niż taniec, Nikołaju. To sposób życia, duch, cząstka duszy, religia.

– Jesteś szalona, Danino Pietroskowa, ale i tak cię kocham.

Słowa te wymknęły mu się bezwiednie. Spojrzał na nią z przerażeniem, nic jednak nie powiedziała. Uznała to za pomyłkę, przypadek i postanowiła przemilczeć.

Tymczasem śnieg przestał padać po bez mała dwóch dobach zamieci, wyszli więc na spacer do parku. W chwilę później zaczęła go obrzucać śnieżkami. Nie zdołałby wyrazić, jak uwielbia spędzać z nią czas, jak uwielbia jej dziecięcą pogodę ducha, która przecież nie wyklucza wielkiej wewnętrznej głębi i oddania dla tego wszystkiego, w co dziewczyna wierzy. Jak na młodą kobietę było to niezwykłe. Pewien, że znów czują się w swoim towarzystwie odprężeni i wszystko między nimi układa się prosto, pożegnał ją tego popołudnia, żeby wrócić do domu i przebrać się po nocy spędzonej przy małym pacjencie. Najgrubsze chmury, które wisiały nad nimi przez kilka ostatnich dni, rozwiały się teraz, oboje więc byli przekonani, że zdołają przeżyć, mimo rygorów, jakie narzuciła im Danina. A pod koniec następnego tygodnia w pełnej zgodzie odzyskali nieskrępowaną swobodę obejścia.

Nikołaj zaglądał do niej co najmniej dwa razy dziennie, a nawet częściej, kiedy tylko się dało. Stale jadał u niej obiady lub kolacje, a czasami przychodził tak wcześnie, że mógł z nią razem siąść do śniadania. Cały ten miesiąc był mroźny, większość czasu spędzali więc pod dachem, ale pod koniec stycznia pogoda zaczęła się pomału poprawiać. Zdrowie Daniny także. Postępy rekonwalescencji były znaczne, ale powrót do baletu był nadal sprawą przyszłości, której Danina nie mogła przyspieszyć. Z początku błagała Madame, żeby pobyt w Carskim Siole trwał tylko miesiąc, ale Nikołaj nieodmiennie zalecał przeciągnięcie go do marca lub kwietnia. W kolejnym liście do Madame Danina napisała, że się na to zgadza. Tego właśnie jej trzeba. Madame przyjęła to z ulgą. Cesarzowa podobnie. Rodzina carska przepadała za towarzystwem dziewczyny.

Wielkie księżniczki wpadały na herbatę, kiedy tylko pozwalały im na to ich obowiązki sióstr miłosierdzia albo lekcje. Aleksy zaś uwielbiał grać z nią w karty. Wydawała się znakomitym dodatkiem do rodziny, przynajmniej w jego mniemaniu. To właśnie Aleksy przyniósł jej wiadomość, że ma przybyć na bal, który jego rodzice wydają pierwszego lutego, pierwszy bal w tych czasach. Cesarzowa czuła się winna wobec córek, które od tak dawna nie miały żadnej rozrywki ani przerwy w obowiązkach szpitalnych, przekonała więc męża, że bal wszystkim doda ducha. Dopiero po zakomunikowaniu tego Daninie Aleksy oznajmił matce, że życzy sobie, by ją zaprosiła.

Cesarzowa uczyniła to, wedle jej własnych słów, z najwyższą przyjemnością. Nie czekając na odpowiedź Daniny, posłała dziewczynie do przymierzenia kilka sukien balowych, jak wtedy, przed ich dużo mniej uroczystą kolacją. Tym razem jednak suknie były zaiste tak wspaniałe, że Danina poczuła się oszołomiona.

Atłasy i jedwabie, aksamity i brokaty jak dla królowej albo dla samej cesarzowej. Danina wręcz krępowała się je włożyć. Wybrała wreszcie białą atłasową, ze złotym, brokatowym stanikiem, który tak ściśle opinał jej szczupłą talię, że przypominała raczej królową elfów niż baletnicę. Wyglądała, jak orzekł Aleksy, kiedy pokazała mu się w sukni, niby księżniczka z bajki. Nikołaj sukni jeszcze nie widział, ale wiedział o niej wszystko z opowieści Daniny. Biała atłasowa narzutka, przysłana wraz z nią, była lamowana takim samym złotym brokatem jak stanik, i w dodatku podbita gronostajami. W istocie strój to był królewski, a ciemnowłosa Danina robiła w nim jeszcze większe niż zwykle wrażenie. W pewnej mierze suknia była dla niej jak kostium, piękniejszy jednak od wszystkich, które kiedykolwiek widziała, przywdziewała czy nawet o których marzyła. Nikołaj też był rad usłyszeć, że dziewczyna wybiera się na bal. Jak poprzednio ostrzegał ją, żeby się nie przemęczała i wyszła, kiedy tylko poczuje się znużona. Nie miał jednak żadnych zastrzeżeń do jej obecności na carskim balu i zaofiarował się, że przywiezie ją tak jak wcześniej na kolację.

Sam bal był w tych dniach wydarzeniem niezwykłym. Rodzina panująca z powodu wojny zrezygnowała ze wszystkich urzędowych okazji towarzyskich, wyjątek od tej reguły czyniąc w tym tylko jednym wypadku. Nie wiadomo było, kiedy taka sytuacja mogłaby się powtórzyć. Car specjalnie na bal powrócił z frontu, a jego zapowiedziana obecność cieszyła wszystkich.

– Czy twoja żona tym razem nie zdecyduje się przyjść? – ostrożnie zagadnęła Danina Nikołaja w wigilię balu, on jednak pokręcił głową z miną nieco zirytowaną. Kiedyś zwróciłby uwagę Marie, jakim grubiaństwem z jej strony jest odrzucenie najjaśniejszego zaproszenia, ale teraz nie dbał o to z powodów oczywistych dla Daniny. Ona zaś już sobie przysięgła, że zatańczy z nim może raz czy drugi, jeśli ją o to poprosi, ale to nic nie będzie znaczyło. Jego wyznanie sprzed dwóch tygodni jak gdyby zasnuła mgła. Znów są po prostu przyjaciółmi, nie ma obaw.

– Oczywiście nie. – Tyle tylko odpowiedział Nikołaj. – Nie znosi balów... i wszystkiego, co nie związane z końmi.

Potem zmienił temat, by opowiedzieć z uśmiechem, jak to Aleksy oświadczył, że dziewczyna wygląda „całkiem dobrze" w sukni, którą pożyczyła jej jego matka. To „całkiem dobrze" w najmniejszej mierze nie przygotowało jednak Nikołaja do widoku Daniny, która wynurzyła się ze swojej sypialni w toalecie z białego atłasu, złotego brokatu i gronostajów. Wyglądała jak młoda monarchini, z włosami upiętymi na głowie w luźne fale, z perłowymi kolczykami w uszach, które były jej jedyną pamiątką po matce. Cieszyła się, że nie zapomniała ich wziąć tutaj ze sobą.

Na jej widok Nikołajowi zaparło dech. Przez dłuższą chwilę nie mógł wydusić słowa. Łzy nabiegły mu do oczu. Niemal się modlił, żeby ich nie dostrzegła.

– Jak wyglądam? Wszystko w porządku? – zapytała nerwowo, niczym któregoś ze swoich braci.

– Nie wiem nawet, co ci powiedzieć. Nigdy nie widziałem, żeby ktoś był aż tak piękny.

– Głuptas. – Uśmiechnęła się doń spłoszona. – Ale dziękuję. Ładna suknia, prawda?

– Na tobie tak.

Talia małego dziecka, gors odsłonięty akurat w miarę, bez wulgarności czy ostentacji. Nic w niej nie mogło razić, on zaś w swoim fraku wydawał się idealną asystą, kiedy powiódł ją na bal w pałacu Jekatierińskim. Pałac ten był jedną z budowli w posiadłościach cesarskich w Carskim Siole. Był znacznie okazalszy i ozdobniejszy niż pałac Aleksandrowski, w którym mieszkał cesarz z rodziną. Cesarzowa zwykła go używać tylko przy ceremoniach państwowych, aczkolwiek w danej chwili jego część służyła jako szpital dla rannych żołnierzy. Pałac, projektu Rastrellego, został przerobiony za Katarzyny II. Kiedy się doń zbliżali, słońce zalśniło na złotym dachu, nadając gmachowi przepych i majestat.

Nawet wśród wszystkich błyszczących sukien i klejnotów, między zaproszonymi członkami rodziny panującej, Danina wywołała niejaką sensację. Każdy chciał się dowiedzieć, kim jest, skąd i gdzie ją dotąd ukrywano. Kilku wytwornych młodych arystokratów było przekonanych, że to księżniczka krwi. Jej królewskie wzięcie i gracja w każdym ruchu przyciągały powszechną uwagę. Danina, gdy tylko ujrzała cesarzową, pospieszyła dyskretnie podziękować jej za suknię.

– Musisz ją zatrzymać, moja droga. Żadna z nas nie potrafiłaby jej nosić tak jak ty.

Danina od razu wyczuła szczerość Aleksandry Fiodorowej i poczuła się jeszcze bardziej wzruszona jej nieustającą hojnością i dobrocią.

Kolację dla czterystu osób podano w Sali Srebrnej. Panowie wkrótce potem wycofali się do słynnej Bursztynowej Komnaty, a całe towarzystwo przeniosło się na tańce do Wielkiej Galerii. To był wspaniały wieczór, a Danina znajdowała w sobie więcej energii niż przed chorobą. Podniecał ją już sam fakt, że tu jest. Pragnęła na zawsze zapamiętać tę noc, całą, do najdrobniejszych szczegółów.

Kiedy zaś Nikołaj wyprowadził ją na posadzkę, serce lekko skoczyło w piersi dziewczyny, choć nawet przez moment nie pozwoliła sobie pomyśleć o tym, co jej powiedział dwa tygodnie temu. Ten rozdział ich życia był zamknięty. Łączyły ich teraz tylko koleżeństwo i przyjaźń, tak w każdym razie sama sobie wmawiała. Ale jego spojrzenie, kiedy sunął z nią płynnie w walcu, mówiło coś zgoła innego. Wydawał się nieopisanie z niej dumny, a jego delikatne dotknięcie, kiedy tulił ją do siebie najbliżej, jak tylko śmiał, gdyby zechciała, powiedziałoby jej wszystko, czego on rzec jej nie mógł. Nawet sam car, kiedy tak tańczyli, podzielił się z żoną pewnym spostrzeżeniem.

— Obawiam się, że Nikołaj traci głowę dla naszej młodej rekonwalescentki z baletu — rzucił, obserwując ich; było to powiedziane bez przygany.

— Nie sądzę, kochanie — zaprzeczyła cesarzowa. Stale widywała tych dwoje razem i nie dostrzegała nic niestosownego w ich przyjaźni czy zachowaniu.

— Szkoda, że jest żonaty z tą okropną Angielką — zauważył monarcha, a cesarzowa uśmiechnęła się w odpowiedzi. Ona też nie przepadała za tą damą.

— Sądzę, że po prostu troszczy się o zdrowie Daniny — oświadczyła z przekonaniem, dużo naiwniejsza od swojego męża.

— Ślicznie wygląda w tej sukni. To jedna z waszych?

Cesarzowa miała na sobie wspaniałą toaletę z czerwonego aksamitu oraz odziedziczony po matce garnitur rubinów, który przydawał jej majestatu. Była piękną kobietą, a mąż kochał ją czule. Oboje czuli się uszczęśliwieni, że car znów jest w domu i że wreszcie, choć na kilka chwil, mogą zapomnieć o wojnie.

– Właściwie Olgi, ale tak ładnie leży na Daninie, że powiedziałam, by ją zatrzymała.

– Ma śliczną figurę. – Cesarz uśmiechnął się do żony, niezainteresowany już dalszą rozmową o młodej podopiecznej. – Jak ty, kochanie. Rubiny Maman wspaniale do ciebie pasują.

– Dziękuję – powiedziała z uśmiechem, po czym opuścili salę, by odbyć przechadzkę wśród gości. Bal był wyjątkowo udany. Nikołaj i Danina przetańczyli pół wieczoru. Trudno było uwierzyć, że dziewczyna kiedykolwiek była chora, a i ona sama ani o tym pomyślała, tańcząc z nim do upadłego. Było już dobrze po północy, kiedy wreszcie zmusił ją, by na chwilę przysiadła i odpoczęła, zanim całkiem opadnie z sił. Było jej tak dobrze, że nie chciała ani na minutę przerwać tańca.

Nikołaj przyniósł kieliszek szampana i wręczył jej z uśmiechem. Policzki miała zaróżowione, oczy bardziej niż zwykle niebieskie, a dekolt urzekający mleczną białością. Z wysiłkiem odwrócił wzrok. Kiedy jednak spojrzał na nią znowu, nie umiał się jej oprzeć, po chwili więc znowu z nią tańczył, a ona wyglądała na szczęśliwszą i śliczniejszą niż kiedykolwiek.

– Jako stróż twojego zdrowia okazuję się żałosnym beztalenciem – wyznał, wirując z nią w kolejnym walcu. Można było pomyśleć, że tańczą ze sobą przez całe życie. Ze swoją żoną tańczył tylko na własnym weselu. – Powinienem cię zmusić do powrotu i odpoczynku, ale sam na sobie nie mogę tego wymóc. Boję się, że jutro będziesz chora z wyczerpania.

– Warto zapłacić taką cenę. – Roześmiała się w odpowiedzi. Oczarowało go samo brzmienie jej śmiechu. Słysząc go, zapragnął, żeby ta noc nigdy się nie skończyła.

Ostatecznie wyszli po trzeciej, wśród ostatnich gości opuszczających pałac, kiedy już Danina serdecznie podziękowała carowi i carycy. Niezapomniany był to wieczór, oni więc także dziękowali jej za przybycie i, podobnie jak Nikołaj, wyrazili nadzieję, że nie zaszkodziła sobie, tańcząc tak dużo i pozostając na balu tak długo, choć może powinna była odpocząć.

– Cały jutrzejszy dzień przeleżę w łóżku – obiecała dziewczyna, a Aleksandra Fiodorowna pochwaliła ten zamiar. Byłoby szkoda, gdyby Danina znowu poczuła się gorzej z powodu balu.

Kiedy jednak wracali do jej pawilonu, nie traciła werwy. Noc była piękna, niebo rozgwieżdżone, ziemia pokryta świeżym śniegiem, a dziewczyna myślała w tej chwili tylko o nie kończącym się tańcu i o niczym więcej. Kilku panów prosiło ją do tańca, ona zaś chętnie z nimi tańczyła, większą część wieczoru spędziła jednak w ramionach Nikołaja. Musiała przyznać, że to woli. O tym wszystkim jeszcze paplała szczęśliwie, kiedy wracali spacerem do pawilonu i kiedy doktor pomagał jej zdjąć gronostajową etolę. A on, jak w ciągu całej tej nocy, nie potrafił oderwać od niej oczu, bo też jakże była piękna w swoim królewskim stroju! Piękniejsza od wszystkich kobiet, które widział tego wieczora.

– Chciałbyś się czegoś napić? – zagadnęła go swobodnie. Była zbyt podniecona, żeby zasnąć, i okropnie niezadowolona, że wszystko to musi się wreszcie skończyć. On miał podobne odczucie. Nalał sobie kieliszek brandy, po czym usiedli przed kominkiem, w którym pokojówki zostawiły dla nich ogień. Rozmawiali o mijającej właśnie nocy. Zaskoczyła go, siadając mu u stóp we wspaniałej balowej sukni i opierając głowę o jego kolana. Rozpamiętując zdarzenia wieczoru, z błogim uśmiechem zapatrzyła się w ogień, a on ostrożnie gładził jej włosy. Z prawdziwą przyjemnością opierała głowę o jego kolana.

– Nigdy nie zapomnę tej nocy – powiedziała cicho,

uszczęśliwiona już samą ich bliskością, nie pragnąc niczego ponad to, co mógł jej dać.

– Ani ja. – Dotknął jej smukłego, zgrabnego ramienia, a potem zatrzymał dłoń na jej barku. Sprawiała wrażenie tak delikatnej, tak kruchej, a kiedy podniosła ku niemu oczy, był w nich uśmiech.

– Jestem przy tobie taki szczęśliwy, Danino – wyznał, pełen obaw, czy znów nie posuwa się za daleko i czy jej tym nie obrazi. Tak trudno jednak było nie powiedzieć, co przy niej czuje.

– Ja także, Nikołaju. To prawdziwy cud, że trafiliśmy na siebie – powiedziała to bez przewrotnego zamiaru, chcąc jedynie złożyć hołd ich przyjaźni. Tymi słowy uczyniła ją jednak dla niego trudniejszą niż kiedykolwiek.

– Każesz mi znowu marzyć – rzekł smutno, z kieliszkiem brandy w ręku – o tym, na czym postawiłem krzyżyk wiele lat temu.

W wieku trzydziestu dziewięciu lat czuł się, jakby miał życie za sobą. Życie pełne straconych nadziei, rozwianych złudzeń i rozczarowań. A dzisiaj znów odnajdywał marzenie, którego jednak nie mógł wiązać z Daniną.

– Uwielbiam być przy tobie.

Wydało mu się, że jest od niej zbyt daleko. Zsunął się z fotela na podłogę i tak siedzieli przy sobie, zapatrzeni w ogień i pogrążeni w marzeniach. Objął ją ramieniem.

– Nie chciałbym nigdy cię zranić, Danino – powiedział łagodnie. – Chcę, żebyś zawsze była szczęśliwa.

– Tutaj jestem szczęśliwa – przyznała uczciwie. Była też szczęśliwa w balecie. Nigdy właściwie nie znała nieszczęścia, tylko bezgraniczną dyscyplinę i wielkie oddanie temu, co robi. Żyła swą namiętnością. Spojrzała na niego i dostrzegła łzy w jego oczach, jak przedtem, kiedy po raz pierwszy ujrzał ją tej nocy, tym razem jednak widziała je wyraźnie, poprzednio nie była tego pewna.

– Nikołaju, czy ty jesteś smutny?

Zrobiło się jej go żal. Wiedziała, że niełatwo mu się

żyje. Chociaż nie chciała uznać tego faktu, rozumiała, jak strasznie jest nieszczęśliwy, dzieląc dom z kobietą, która go nie kocha.

– Może trochę... przede wszystkim jednak bardzo szczęśliwy, że jestem tutaj z tobą.

– Zasługujesz na więcej – powiedziała cicho, zdając sobie sprawę, o jak niewiele ją prosi, oddając w zamian całe serce. Poczuła się nagle wobec niego nie w porządku. Kazała mu milczeć dla swojej własnej wygody, jej było z tym dobrze, jego jednak zmusiła do zaparcia się własnych uczuć.

– Zasługujesz na wielkie szczęście za te wszystkie piękne rzeczy, które robisz. Dajesz z siebie tak dużo wszystkim... i mnie – dodała miękko.

– Dawać tobie to nic trudnego. Gdybym tylko mógł dawać ci więcej! Życie czasami jest okrutne, prawda? Odnajduje się to właśnie, czego się pragnęło... ale za późno.

– Może nie – szepnęła. Pociągał ją w tej chwili jak żaden przedtem mężczyzna, tak bardzo jak wtedy, kiedy ją wcześniej całował. Nie śmiał zapytać, co ma na myśli, patrzył tylko na nią, a z jej oczu biła taka szczerość i tak nieskrywana miłość, że nie mógł nie zrozumieć tego wołania.

– Nie chcę cię zranić... ani sprawić ci przykrości... za bardzo cię kocham – szepnął, próbując powściągnąć swoje uczucia.

– Kocham cię, Nikołaju – odpowiedziała po prostu.

Tym razem bez wahania i bez najmniejszej obawy objął ją łagodnie i pocałował. O tym właśnie marzyli oboje. Byli na to przygotowani, nie czuli się zaskoczeni ani zmrożeni, tym razem pragnęli tego oboje.

Długo całowali się przy ogniu. Trzymał ją w ramionach, aż płomień zaczął przygasać, a ona zadrżała z zimna i z ogarniającego ich oboje podniecenia. Wiedziała, że teraz należy do niego.

– Chodź... przeziębisz się, kochanie. Położę cię do łóżka i pójdę – wyszeptał w ostatnim odblasku ognia.

Poprowadził ją do sypialni.

– Czy mogę ci pomóc zdjąć suknię?

Suknia była trudna do zdejmowania, dziewczyna mogła sobie z nią nie poradzić, ze słabym uśmiechem skinęła więc głową. Pod nieobecność pokojówki musiałaby spać w balowym stroju.

Kiedy delikatnie uwolnił ją z sukni, stała przed nim jak dziecko. Zgrabne, smukłe, młodzieńcze ciało tancerki i wpatrzone w niego wielkie oczy z wyrazem jakiejś niewinności i tęsknoty.

– Jest za późno, żebyś wracał do domu – szepnęła ostrożnie, niepewna, co mu powiedzieć czy też jak zacząć. Nie miała w tym żadnego doświadczenia, nie wiedziała więc, jak się zachowywać. Ale też nie mieściło się jej w głowie, że mogłaby teraz zostać sama.

– Co ty mówisz? – wyszeptał w odpowiedzi, drżąc w chłodzie przedświtu. Był zakłopotany.

– Zostań ze mną. Nie musimy robić nic, czego byśmy nie chcieli. Chcę po prostu, żebyś był przy mnie.

Jego miejsce było tam, a ona wiedziała o tym równie dobrze jak on.

– Och, Danino – powiedział miękko, świadom, że jest to początek nowego i zarazem koniec starego życia. Dla obojga była to chwila przyrzeczeń i postanowień. – Bardzo pragnę być przy tobie.

Niczego więcej nie pragnął, odkąd ją poznał, a tym bardziej odkąd tutaj przybyła. Wiedział teraz, iż dlatego zrobił wszystko, co w jego mocy, by ją ściągnąć do tego domu, że chciał ją mieć jak najbliżej.

Rozebrali się powoli, po chwili leżeli już w wielkim wygodnym łóżku, zakopani pod kołdrami. A kiedy zerknęła na niego w półmroku, rozchichotała się jak pensjonarka.

– Z czego się śmiejesz, głuptasie? – wciąż jeszcze szeptał, jak gdyby ktoś mógł ich podsłuchać. O tej porze nie było tu jednak nikogo. Byli zupełnie sami, nie licząc ich sekretów i wzajemnej miłości.

– To po prostu zabawne... Tak się bałam tego, co do ciebie czuję... i tego, co wiedziałam o twoich uczuciach, a teraz jesteśmy tutaj jak dwoje psotnych dzieci.

– Nie psotnych, kochanie... szczęśliwych... mimo wszystko może mamy do tego prawo... Może tak było pisane. Moje i twoje przeznaczenie. Danino, nigdy nie kochałem żadnej kobiety tak jak ciebie.

Pocałował ją spokojnie i mocno. Jej namiętność wzbierała wraz z jego namiętnością, kiedy uczył ją wszystkiego, o czym dotąd nie miała pojęcia, o czym nawet nie śniła. I nie marzyła nigdy, że znajdzie to przy nim. A to wszystko tam właśnie czekało na nią, podarunki, łaska, miłość, do której oboje tak tęsknili. A kiedy wreszcie zasnęła w jego ramionach, objął ją mocno i uśmiechem podziękował bogom za szczodrobliwość, z jaką ofiarowali mu ten dar.

– Dobranoc, kochanie – wyszeptał pełen wdzięczności. Wkrótce sam również zapadł w sen.

Rozdział piąty

Tajemnica otaczała ich jak bujnie kwitnąca latem łąka. Jak dawniej, zaglądał do niej co dzień, teraz jednak zostawał znacznie dłużej, nadal zresztą umiejąc to pogodzić ze swoimi obowiązkami w pałacu. Nocą zaś, kiedy zakończył swój dyżur, powracał do niej i u niej sypiał. Żonie powiedział, że wymaga się teraz od niego, aby nocami czuwał przy Aleksym. Nie zdradziła zainteresowania ani zastrzeżeń.

Danina czuła się uszczęśliwiona, mogąc z nim być. Wiązało ich wszystko, czego ją uczył, otwierali przed sobą serce i duszę. Mówili sobie wszystko, nie mieli przed sobą tajemnic. Nie kryli nadziei, marzeń, dziecięcych obaw ani jedynej rzeczywistej groźby, jaką mogła by się kiedyś stać rozłąka. Nie roztrząsali jeszcze, co będzie, kiedy dziewczyna wyjedzie. Oboje przecież wiedzieli, że kiedyś musi to zrobić. Trzeba będzie wtedy coś postanowić w sprawie ich przyszłości. On jednak nic jeszcze nie powiedział żonie.

Chcieli na razie po prostu cieszyć się tym, co mają, zanim spowodują jakąś eksplozję. W końcu ich szczęście przybrało jednak realniejsze kształty. Luty przeleciał jak pociąg pospieszny, za nim marzec. Danina mieszkała w Carskim Siole już trzeci miesiąc, kiedy wreszcie z żalem zaczęła mówić o powrocie do szkoły baletowej. Nie miała pojęcia, jak zdoła to zrobić. Jednak Madame niedwuznacznie się dopytywała, kiedy dziewczyna zamierza wrócić do prób i ćwiczeń. Odzyskanie formy, jaką straciła podczas choroby, zająć jej miało całe miesiące. W porównaniu z morderczą codzienną rutyną w balecie skromne ćwiczenia, które wykonywała tutaj, były po prostu niczym. Nawet ćwicząc codziennie, nie przybliżała się do baletowego poziomu. Z żalem więc obiecała wreszcie powrócić do Petersburga pod koniec kwietnia. Myśl o rozstaniu z Nikołajem była dla niej niemal nad siły.

Mieli o tym poważną rozmowę któregoś dnia pod wieczór, na trzy tygodnie przed planowanym wyjazdem. Zdaniem Nikołaja nadeszła stosowna pora, by rozmówił się z Marie i zaproponował jej powrót do Anglii wraz z chłopcami. Trzeba było położyć kres oszustwu. Nie był jednak pewien planów Daniny co do baletu. Musiała dokonać własnego wyboru.

– Jak sądzisz, jak Marie zareaguje, kiedy jej powiesz?

– Sądzę, że odczuje ulgę – odparł uczciwie.

Tego był pewien, nie miał jednak pewności, czy zechce dać mu rozwód. Wolał nie wspominać jej o Daninie, jeśli zdoła tego uniknąć. Było aż nadto powodów, żeby zakończyć waśnie między nim a żoną bez dalszego wikłania sprawy.

– A chłopcy? Czy pozwoli ci ich widywać?

Była zatroskana, dręczyła się tym wszystkim, zanim zaczął się ich romans i dlatego właśnie wahała się, czy związać się z Nikołajem. Nigdy jednak nie zdołaliby się pohamować. To mrzonka. Teraz widziała to jasno. Ten związek był czymś prawdziwym, nigdy w życiu nie potrafiliby się go wyrzec.

– Nie wiem, co postanowi w sprawie chłopców – przyznał doktor szczerze. – Być może nie będę mógł się z nimi widywać, aż dorosną.

Dostrzegła w jego oczach ból na samą myśl o tym i ogarnęło ją dręczące współczucie.

– A Madame Markowa? – zapytał z kolei Nikołaj. Było

to pytanie niemal równie doniosłe, prostsze wprawdzie w jego pojęciu, na pewno jednak nie w wyobrażeniu Daniny.

– Pomówię z nią po powrocie do Petersburga – powiedziała, próbując opanować strach. Wiedziała, że sprawi przełożonej zawód. Madame wiązała z nią tak wielkie nadzieje, dała jej tak wiele, że teraz załamie się, jeśli Danina porzuci balet. Dla niej jednak wszystko teraz uległo zmianie. Jej życie należy do Nikołaja, nie wolno jej tego dłużej ignorować.

Cudownym zrządzeniem losu ich związek uszedł uwagi wszystkich wokoło, z wyjątkiem pokojówek w pawilonie, te jednak były dotąd nadzwyczaj dyskretne. Nikt z rodziny cesarskiej nie uczynił najmniejszej aluzji wobec Nikołaja, i nawet Aleksy, który spędzał u Daniny mnóstwo czasu, nie miał pojęcia, że między nimi coś się zmieniło.

W ciągu trzech ostatnich wspólnych tygodni byli jednak bliscy rozpaczy. Cudowna idylla miała się teraz ku końcowi. Nowe życie stało za progiem. Danina zamartwiała się tym. Jeżeli porzuci balet, gdzie będzie mieszkała i kto ją utrzyma? Jeżeli on rozwiedzie się z Marie, czy przez ten skandal nie straci świetnej posady na dworze? Mieli nad czym się zastanawiać. On już jednak obiecał, że znajdzie jej mieszkanie i będzie ją utrzymywać, chociaż Danina nie chciała być mu ciężarem i uważała, że powinna pozostać w szkole, zanim Marie wyjedzie do Anglii.

Wreszcie Obrażenski postanowił rozmówić się z Marie po wyjeździe Daniny, chroniąc dziewczynę w ten sposób przed skandalem, jaki mógł wybuchnąć w domu lub w pałacu. Obojgu wydawało się to najmądrzejsze. Nikołaj miał zajrzeć do szkoły baletowej najszybciej, jak się da, i opowiedzieć, jak mu się powiodło. Później będą mogli powziąć dalsze plany. Poza tym balet musiał mieć czas, żeby znaleźć zastępstwo za Daninę. Chociaż od tylu miesięcy była chora, nadal uwzględniano ją w programie przedstawień letniego i zimowego sezonu. Może się zdarzyć, jak objaśniała Nikołajowi, że będzie musiała poczekać aż do końca roku, zanim opuści zespół, on jednak to rozumiał. Będą się starali przebywać ze sobą jak najdłużej, mimo rozlicznych zajęć obojga i mimo ciężkich ćwiczeń, które Danina będzie musiała teraz podjąć. Była jednak na to przygotowana, znów pełna sił, szczęśliwsza niż kiedykolwiek i bardzo zakochana. Wszystko to sobie obiecywali.

Jednak mimo wszelkich obietnic ich ostatni tydzień był istną męczarnią. Spędzali razem każdą wolną chwilę. Po raz pierwszy cesarzowa dostrzegła, jaka łączy ich bliskość, i zgodziła się z wcześniejszymi spostrzeżeniami męża. Była niemal pewna, że Nikołaja i Daninę wiąże wzajemna miłość. Car właśnie znowu miał urlop z frontu, wspomniała więc mu o tym.

– Ja mu się nie dziwię – powiedział cesarz do żony późną nocą, która dla Nikołaja i Daniny była jedną z ostatnich spędzonych razem w pawilonie. – Ona jest śliczna.

– Sądzisz, że porzuci dla niej żonę? – zaczęła się zastanawiać Aleksandra Fiodorowna, ale car odparł, że nie jest w stanie przeniknąć szaleństwa bliźnich.

– A jeżeli tak, czy weźmiesz mu to za złe? – zagadnęła cesarzowa, a car zadumał się nad tym pytaniem, niepewny własnego zdania w tej kwestii.

– To zależy, jak to zrobi. Jeżeli po cichu, nie powinno to mieć na nic wpływu. Jeżeli zaś wywoła skandal, który wzburzy wszystkich, będziemy musieli to rozważyć.

Cesarzowa nie bez ulgi wysłuchała tej rozsądnej konkluzji. Nie miała ochoty zwalniać Nikołaja z funkcji przybocznego lekarza następcy tronu. Zastanawiała się także, czy Danina porzuci balet. Jest bardzo młoda, włożono w nią mnóstwo pracy, a poza tym to ich najsławniejsza „prima". Caryca wyobrażała to sobie mniej więcej jak porzucenie klasztoru, rzecz nie taką znów prostą do wykonania. Była przekonana, że balet zrobi wszystko, żeby dziewczynę zatrzymać. Trudna to będzie decyzja, jeśli Danina w ogóle ją podejmie. Współczuła małej. Miała nadzieję, że wszystko ułoży się pomyślnie dla obojga, jeżeli postanowią razem podjąć nowe życie. Przez te kilka miesięcy pobytu Daniny w Carskim Siole wszyscy ją pokochali.

Wydano dla niej małą kolację w wigilię jej odjazdu. Obecne były dzieci, paru najbliższych przyjaciół, obaj lekarze i garść osób, które poznały i polubiły Daninę. Dziewczyna miała łzy w oczach, kiedy im dziękowała i obiecywała powrócić. Cesarzowa zaprosiła ją do Liwadii latem, jak rok wcześniej w asyście Madame, one zaś obie obiecały przyjechać, kiedy tylko Danina zacznie znów tańczyć.

– Tym razem naprawdę nauczę cię pływać – obiecał Aleksy i ofiarował jej w podarunku coś, z czym, jak wiedziała, ciężko mu było się rozstać. Była to mała jadeitowa żaba, którą bardzo lubił, bo wydawała mu się taka brzydka. A jednak oddał ją Daninie, niezgrabnie opakowaną w rysunek, który sam dla niej sporządził. Każda z dziewcząt ofiarowała jej napisany przez siebie wiersz i śliczną, specjalnie namalowaną akwarelę. Podarowały jej też wspólną fotografię z Daniną. Dziewczyna była wciąż jeszcze do głębi wzruszona, kiedy późnym wieczorem wracała z Nikołajem do pawilonu.

– Nie mogę znieść myśli, że jutro się z tobą rozstaję – powiedziała smutno, kiedy nad ranem, zmęczeni miłością, spoczywali w uścisku, rozmawiając. Nie mieściło się jej w głowie, że jej pobyt tutaj dobiegł końca, choć zapewniali się wzajem, że zaczęło się nowe życie. Wieczorem, kiedy wrócili z kolacji, ofiarował jej złoty medalionik na łańcuszku, ze swoją fotografią. Na fotografii był tak podobny do cara, że Danina w pierwszej chwili nie miała nawet pewności, czy to Nikołaj. Ale to był on. Obiecała nosić medalionik na szyi zawsze, kiedy tylko nie będzie tańczyła.

Ostatnie godziny przed rozstaniem były męczarnią dla obojga. Oboje płakali, kiedy wsadzał ją do pociągu, którym odbyć miała krótką podróż powrotną do Petersburga. Nie chciała, żeby ją odwoził, w obawie, że madame Markowa natychmiast spostrzeże, co między nimi zaszło. Była przekonana, że przełożona ma nadprzyrodzone zdolności, że jest wszechwiedząca. Nikołaj zgodził się jej nie towarzyszyć. Zamierzał rozmówić się z Marie tegoż popołudnia, Daninę zaś obiecał natychmiast powiadomić o wyniku rozmowy.

Kiedy jednak stali na peronie, wyglądając pociągu, obojgu mało serce nie pękło. Czuli, że piękny rozdział ich życia dobiega końca. Danina wychylała się przez okno, jak długo mogła, widziała go, jak stoi i macha jej z daleka, z oczyma utkwionymi w jej oczach, drżącymi palcami wyczuwała medalionik na szyi. Coraz szybciej oddalali się od siebie, ale Nikołaj wołał, że ją kocha, a przed wyjazdem z domu całował ją tyle razy, aż wargi jej spierzchły i dwa razy przed rozstaniem musiała poprawiać uczesanie. Byli jak dwoje dzieci, odrywane właśnie od rodziców. Trochę jej to przypominało moment, kiedy ojciec odwiózł ją do szkoły baletowej. Tak samo była teraz przerażona, może nawet bardziej.

Madame oczekiwała jej na dworcu w Petersburgu. Zdawała się wyższa, szczuplejsza i surowsza niż kiedykolwiek. Daninie wydała się nagle postarzała, jak po całych wiekach niewidzenia. Ale Madame ucałowała ją gorąco i wyglądała na uszczęśliwioną jej widokiem. Bez względu na wszystko, co przydarzyło się Daninie pod jej nieobecność, dziewczyna bardzo tęskniła za Madame.

– Dobrze wyglądasz, Danino. Szczęśliwa i wypoczęta.

– Dziękuję, Madame. Wszyscy traktowali mnie cudownie.

– Tyle zrozumiałam z twoich listów.

W jej głosie brzmiała pewna ostrość, twardość, o której Danina zdążyła już zapomnieć. Nikt się jej nigdy nie oparł, wszyscy przekraczali granice swych możliwości, byle zadowolić Madame. W dorożce, w drodze do szkoły, była bardzo powściągliwa. Danina próbowała poprawić nastrój, opowiadając o swoich stosunkach z rodziną cesarską i o wydanych dla niej kolacjach. Odczuwała wyraźnie niepojętą dezaprobatę swojej mistrzyni. Budziło to w niej jeszcze silniejszą tęsknotę za życiem, które porzuciła w Carskim Siole. Świadoma jednak była obowiązków, jakie ją czekają po powrocie.

– Kiedy znowu zaczynam próby? – zapytała, obserwując przepływające obok znajome szczegóły miejskiego pejzażu.

– Jutro rano. Radzę dziś rozpocząć ćwiczenia przygotowawcze. Jak podejrzewam, podczas rekonwalescencji nie robiłaś nic, żeby utrzymać formę?

Wyjąwszy parę codziennych ćwiczeń, podejrzenie to było słuszne. Danina potwierdziła to skinieniem głowy, co zostało przyjęte bez zachwytu.

– Doktor uważał, że to byłoby nieroztropne, Madame – tak brzmiały jedyne przeprosiny. Nie próbowała nawet wspominać o tych dwóch kwadransach codziennych ćwiczeń, wiedziała bowiem, że w pojęciu przełożonej to tyle co nic.

Madame Markowa patrzyła w milczeniu przed siebie, a atmosfera robiła się coraz gęstsza.

Umieszczono Daninę na powrót w jej dawnym pokoju. Na widok starego gmachu poczuła smutek w sercu. Nie było w tym nic z powrotu pod rodzinny dach, tylko przypomnienie, jak daleko odbiegła teraz od Nikołaja i od ich nocy w ukochanym pawilonie. W głowie się jej nie mieściło, że ma spędzić noc bez niego, tak jednak być musiało. Oboje, każde z osobna, czeka długa droga, zanim kiedyś zdołają znowu się połączyć, oby na zawsze.

Początkowo miała zamiar od razu wspomnieć Madame o swoich planach, postanowiła jednak odwlec to, aż Nikołaj da jej znać o rozwodzie i wyjeździe Marie do Anglii. Wszystko zależy od tego, jak szybko potoczą się sprawy. A pod cienkim materiałem bluzki czuła dodający otuchy dotyk medalionu.

Wszyscy zajęci byli to rozgrzewką, to ćwiczeniami, to próbami w sali tańca, więc pokój, nie zmieniony przez

95

cztery miesiące, odkąd Danina go opuściła, świecił pustkami. Wydawał się jej teraz dziwny i żałośnie brzydki, kiedy przebierała się w trykoty i baletki, by zejść na dół do sali, w której zwykle robiła rozgrzewkę. Zastała tam Madame, która milcząc, siedziała w rogu, obserwując tancerzy. Danina poczuła się nieco skrępowana, zabrała się jednak do pracy przy drabince. Oszołomiło ją odkrycie, jaka jest sztywna, jaka niezgrabna w ruchach, jak nieposłuszne są kończyny, które powinny wykonywać to, do czego od tak dawna były wdrożone.

– Czeka cię mnóstwo pracy, Danino – orzekła surowo Madame, a Danina skinęła głową. Przez cztery zaledwie miesiące własne ciało stało się jej wrogiem, zawodziło we wszystkim, czego odeń oczekiwała. Wieczorem, kiedy położyła się do łóżka, wszystkie mięśnie, niećwiczone od miesięcy, aż pulsowały z bólu. Ból w całym ciele nie pozwalał jej zasnąć ani wstać nazajutrz. Każdy mięsień był odrętwiały. Cztery miesiące bezczynności i szczęścia wiele ją kosztowały.

Nie mniej zresztą niż intensywne ćwiczenia, jakie podjęła tegoż dnia o piątej rano. Na pierwszych zajęciach była już o szóstej, pracowała do dziewiątej wieczorem, przez prawie cały ten czas pod okiem Madame.

– Nie po to masz talent, żeby go marnować – szorstko rzuciła przełożona po pierwszych zajęciach, po czym jeszcze ostrzejszym tonem przestrzegła Daninę, że nigdy nie zdoła odzyskać tego, co straciła, jeżeli nie zdopinguje się do przekroczenia granic swoich możliwości. A potem dodała:

– Jeżeli nie chcesz zapłacić ceny własnej krwi, Danino, nie jesteś godna swojego talentu.

Była najwidoczniej wściekła na dziewczynę za to, co ta straciła przez kilka miesięcy poza baletem. W niezbyt uprzejmy sposób przypomniała jej tego wieczoru, że pozycja primabaleriny nie jest czymś jej należnym, ale zaszczytem, na który musi sobie zasłużyć, jeżeli zamierza ją odzyskać.

Danina tej nocy kładła się spać we łzach, parę razy zalewała się nimi nazajutrz, aż wreszcie pod koniec następnego dnia, wyczerpana ponad wszelkie wyobrażenie, usiadła i napisała list do Nikołaja, o tym, przez co przechodzi i jak bardzo za nim tęskni. Bardziej, niż była sobie w stanie wyobrazić, kiedy się rozstawali.

Tortury zadawano jej dzień w dzień, aż pod koniec pierwszego tygodnia pożałowała, że w ogóle wróciła do baletu, zwłaszcza że przecież miała zamiar go porzucić. Jaki w tym sens i cóż takiego ma im teraz dowieść, skoro chce powrócić do Nikołaja i skończyć z tańcem? Czuła jednak, że powinna odejść z honorem, choćby miało ją to zabić. Zresztą śmierć z wyczerpania i z ustawicznego bólu wydawała się rzeczywiście nader prawdopodobna.

Pod koniec drugiego tygodnia Madame poprosiła ją do swojego gabinetu. Danina zastanawiała się, co to znaczy. W ciągu ostatnich trzynastu lat bywała tam rzadko, chociaż innym to się zdarzało, a wynurzali się stamtąd we łzach, czasem po to tylko, żeby w parę godzin później pożegnać się z baletem. Danina nie zastanawiała się, czy to samo ma się teraz stać jej udziałem. Madame Markowa siedziała niewzruszona za biurkiem twarzą do drzwi. Zanim do niej przemówiła, objęła swą wychowankę surowym spojrzeniem.

– Ze sposobu, w jaki tańczysz, ze sposobu, w jaki pracujesz, nie trudno dostrzec, co się z tobą stało. Jeżeli sobie nie życzysz, nie musisz mówić mi o niczym, Danino.

Danina miała zamiar powiedzieć jej o wszystkim, ale nie tak, jeszcze nie teraz, nie wcześniej, aż Nikołaj prześle wiadomość, a wiadomości od niego nie było i poważnie się tym niepokoiła. Tymczasem Madame miała rację, miłość do Nikołaja odciągała ją od tańca. Nie mogła jak kiedyś całkiem się w nim zapamiętać. Zaszła w niej zmiana natury raczej duchowej niż fizycznej. Zdumiewające jednak, że Madame to dostrzegła.

– Nie bardzo wiem, co pani ma na myśli, Madame. Pracuję bardzo ciężko, odkąd wróciłam.

Mówiąc to, miała łzy w oczach, nie przywykła do reprymend ani do lekceważenia jej pracy przez nauczycielkę. Madame Markowa zawsze była z niej bardzo dumna, teraz zaś stało się jasne, że już nie jest. Przełożona była na nią zagniewana.

– Pracujesz ciężko. Ale nie dość ciężko. Nie wkładasz w pracę całej duszy. Zawsze ci mówiłam, że będziesz niczym, jeżeli nie poświęcisz każdej kropli krwi, całej duszy, miłości, serca. Nie rób z tańca tortury. Sprzedawaj kwiaty na ulicy, najmij się do czyszczenia wychodków, większy będzie z ciebie pożytek. Nie ma nic gorszego niż tancerz, który nic nie składa w ofierze.

– Próbuję, Madame. Nie było mnie tak długo. Nie jestem taka silna jak przedtem.

Łzy spływały jej po policzkach, ale Madame nie okazywała innych uczuć prócz wzgardy i gniewu. Wyglądała, jakby czuła się oszukana przez Daninę.

– Mówię o twoim sercu. O twojej duszy. Nie o twoich nogach. Twoje nogi wrócą do siebie. Serce nie wróci, jeżeli zostawiłaś je gdzie indziej. Musisz wybrać, Danino. Tutaj zawsze jest wybór. Chyba że chciałabyś być taka jak inni. Nigdy nie byłaś. Byłaś inna. Nie możesz być jednym i drugim. Nie możesz żyć z mężczyzną, z mężczyznami, i być przy tym naprawdę wielką primabaleriną. Żaden mężczyzna nie jest wart twojej kariery... żaden nie jest wart baletu. Koniec końców, zawiedziesz się na nich. Tak jak ja teraz zawiodłam się na tobie. Oszukujesz sama siebie. Wróciłaś do mnie z niczym. Jesteś pustą skorupą, nikim, tancereczką z *corps de ballet*. Nie jesteś już primabaleriną.

Ten cios był najokrutniejszy. Serce mało nie pękło dziewczynie, kiedy tego słuchała.

– To nieprawda. Ja się nie zmieniłam, muszę po prostu więcej pracować.

– Zapomniałaś, jak to się robi. Nie chce ci się. Jest coś w twoim życiu, co kochasz bardziej niż balet. Widzę to, wyczuwam. Tańczysz byle jak.

Skóra cierpła Daninie na sam dźwięk tych słów. Kiedy spojrzała w oczy Madame, pojęła, że przed tą kobietą nic się nie ukryje.

– To mężczyzna, prawda? W kim ty się zakochałaś? Który mężczyzna jest tego wart? Czy on przynajmniej ciebie chce? Głupia jesteś, skoro wszystko poświęcasz dla niego.

Zapadła dłuższa cisza. Danina ważyła w myślach słowa i zastanawiała się, jak dużo powiedzieć.

– To bardzo dobry człowiek – odezwała się wreszcie – i kochamy się oboje.

– Jesteś teraz nierządnicą jak inne tanie panienki, które tańczą, występują, ale dla których to nic nie znaczy. Powinnaś tańczyć na ulicach Paryża, a nie tutaj, w Teatrze Maryjskim. Nie tutaj twoje miejsce. Zawsze ci mówiłam, że nie możesz być jak one, jeżeli naprawdę chcesz być tancerką. Musisz wybrać, Danino.

– Nie mogę poświęcić całego życia, Madame, bez względu na to, jak bardzo kocham taniec. Chcę postąpić właściwie, chcę osiągnąć wielkość, chcę być uczciwa wobec pani... ale też kocham jego.

– Powinnaś więc teraz odejść. Nie zabieraj czasu mnie ani swoim nauczycielom. Nikomu tu nie jesteś potrzebna, chyba że będziesz tym, kim byłaś. Nic innego nie jest tego warte. Musisz wybrać, Danino. Jeżeli wybierzesz jego, podejmiesz złą decyzję. Zapewniam cię. On nigdy nie da ci tego, co my. Nigdy nie będziesz czuła tego, co na scenie, kiedy wiesz, że twojego występu nikt nigdy nie zapomni. Oto kim byłaś, zanim nas opuściłaś. Teraz jesteś zaledwie tancereczką.

Danina nie wierzyła własnym uszom, chociaż słowa

brzmiały znajomo. Miała już dawniej okazję słyszeć opinie Madame. Balet był dla niej jak bóstwo, któremu składa się ofiarę z własnego życia. Ona tak uczyniła i tego samego oczekiwała od wszystkich. Danina czyniła tak zawsze, teraz jednak nie mogła. Chciała, żeby jej życie było czymś więcej niż perfekcyjnie odegraną rolą.

— Kim jest ten mężczyzna? — zapytała wreszcie dyrektorka. — Chociaż czy to w ogóle jest ważne?

— To ważne dla mnie, Madame — odpowiedziała Danina z szacunkiem, nadal przekonana, że zdoła dokonać jednego i drugiego, zakończyć tutaj karierę z talentem i z honorem i odejść do Nikołaja, kiedy ten będzie na to gotów.

— Cóż on zamierza zrobić?

— Ożenić się ze mną — wyszeptała dziewczyna, patrząc w pełną niesmaku twarz Madame.

— Czemu więc jesteś tutaj?

To akurat było niełatwo objaśnić, Danina nie chciała zresztą się tłumaczyć.

— Chciałam we właściwy sposób rozstać się z baletem, może nawet w przyszłym sezonie, jeśli będę pani potrzebna, jeśli będę wystarczająco ciężko pracowała i odzyskam twarz.

— Po cóż ten kłopot? — Madame podejrzliwie zmrużyła oczy, dowodząc po raz kolejny swojej wszechwiedzy, której zresztą Danina zawsze była pewna. — Czy on jest żonaty?

Znów długa pauza. Danina nie odpowiedziała.

— Nigdy nie sądziłam, że jesteś tak głupia. Głupsza niż każda z tych rozpustnych dziewczynek. Większość z nich łapie w końcu męża, obrasta tłuszczem i dziećmi. Są nic niewarte. A ty marnujesz swój talent dla człowieka, który już ma żonę. Mdli mnie na myśl o tym, co robisz. Nie chcę o tym więcej słyszeć. Teraz masz pracować, Danino, tak jak dawniej, jak umiesz, jak powinnaś, a za dwa miesiące masz mi powiedzieć, że z tamtą historią już koniec, a twoje życie to taniec, że wiesz o tym i że zawsze będziesz o tym pamiętać. Dla tańca musisz poświęcić wszystko... wszystko, Danino... i tylko wtedy to jest czegoś warte, tylko wtedy poznasz prawdziwą miłość. To jest twoja miłość, jedyna miłość. Ten mężczyzna to bzdura. On nic dla ciebie nie znaczy. Skrzywdzi cię i tyle. Nie chcę o tym więcej słyszeć. Teraz wracaj do pracy.

Było to powiedziane z taką niechęcią, bez ogródek i bez litości, że Danina natychmiast wyszła z biura. Wróciła do zajęć, drżąc na myśl o słowach Madame.

Przełożona oczekiwała od niej poświęcenia, chciała, żeby wyrzekła się wszystkiego, nawet Nikołaja, a Danina nie mogła tego zrobić. Nie chciała. Nie miała takiego obowiązku. Nikt tu nie miał prawa tego od niej oczekiwać. Nie miała ochoty stać się jedną z obłąkanych fanatyczek, które poza baletem nie widziały życia. Tego była teraz pewna. Nie miała ochoty, doszedłszy sześćdziesiątki, stać się jeszcze jedną madame Markową, bez własnego życia, bez dzieci, bez męża, bez wspomnień, jeśli nie liczyć baletowych spektakli, długim sznurem ciągnących się przez lata, a koniec końców pozbawionych wszelkiego znaczenia.

Próbowała to już wcześniej wytłumaczyć Nikołajowi, opowiedzieć mu, czego tu od niej oczekują, ale nie uwierzył. Tymczasem to *tego* właśnie od niej chcą. Jej duszy, jej obietnicy, że z nim zerwie. Ona zaś tego nie zrobi, bez względu na to, ile by ją to miało kosztować. W gniewie narzucała sobie jeszcze cięższą pracę, na zajęciach choreograficznych i przy drążku. Dzień w dzień zaczynała rozgrzewkę o czwartej rano, by do dziesiątej wieczór tańczyć w sali ćwiczeń. Nie jadła, nie robiła przerw, nie spała, nie pozwalała sobie na nic, byle tylko zmusić własne ciało do przekroczenia granic jego możliwości. Tego od niej żądano. Po dwóch tygodniach, kiedy Madame ponownie wezwała ją do swego gabinetu, Danina była wychudzona, wycieńczona i wyczerpana.

Nie była w stanie sobie wyobrazić, co usłyszy tym razem. Może Madame poprosi, żeby tegoż ranka odeszła z baletu, może jednak będzie to ulga. Nie zdoła przecież zmusić się do jeszcze cięższej pracy, a poza tym od trzech tygodni nie miała ani słówka od Nikołaja, co przyprawiało ją o szaleństwo. Nie odpowiedział na żaden z jej listów, nagle jednak zadała sobie pytanie, czy aby w ogóle zostały wysłane. Zostawiała je, jak zwykle, wśród innych w głównym korytarzu. Może jednak akurat jej listy wędrowały do śmieci? Zastanawiała się nad tym, wchodząc do biura Madame. W progu przeżyła niemały wstrząs na widok Nikołaja, który siedział w gabinecie, najwyraźniej zajęty miłą konwersacją z Madame. Kiedy Danina weszła do pokoju, odwrócił ku niej głowę i uśmiechnął się. Na sam jego widok serce jej uderzyło mocniej, a w nogach poczuła drżenie.

– Co pan tu robi? – zapytała z wyrazem zdumienia. Zastanawiała się, czy opowiedział o wszystkim Madame, ale po jego oczach poznała, że nie zdradził ich tajemnicy. Zrozumiał wszystko w lot, pospieszył więc z objaśnieniem swojej obecności czy też pretekstu swojego przybycia, żeby Danina nie popełniła żadnej pomyłki, zwracając się do Madame.

– Przyjechałem, żeby się przekonać, jak pani się czuje, panno Pietroskowa, na osobiste polecenie jego cesarskiej mości. Cesarz życzył sobie upewnić się co do pani zdrowia, bo nikt nie miał od pani żadnej wiadomości, odkąd nas pani opuściła. Cesarowa szczególnie się niepokoi.

Mówiąc to, uśmiechnął się ciepło do Madame, która miała na tyle przyzwoitości, że speszyła się lekko i na moment spuściła oczy.

– Nie otrzymali państwo moich listów? Żadne z was? – Danina potrząsnęła głową. Wyglądała na oszołomioną. – Zostawiłam je do nadania, jak zwykle. Widocznie moich listów nie nadano na poczcie.

Madame bez słowa wpatrywała się w biurko przed sobą.

– A zatem jak pani zdrowie? Wygląda pani mizerniej

i jest pani znacznie chudsza niż przy naszym pożegnaniu. Obawiam się, że za ciężko pani pracuje, panno Danino. Nieprawdaż? Nie wolno się pani przemęczać tak wcześnie po tak ciężkiej chorobie.

– Musi odzyskać władzę nad swoim ciałem – szorstko wtrąciła Madame – i z powrotem wpoić sobie dyscyplinę. Jej ciało zapomniało niemal wszystkiego, co umiała.

I Danina, i jej preceptorka wiedziały, że to nieprawda. Nikołaj jednak wyglądał na zmartwionego.

– Jestem pewien, że rychło odzyska siły – powiedział łagodnie – ale nie może się jeszcze przemęczać. Jestem pewien, że pani się z tym zgodzi, Madame. – Przemawiał z uśmiechem, ale bardzo oficjalnym i pełnym troski tonem. – Czy mogę teraz spędzić chwilę sam z moją pacjentką? Mam dla niej prywatne posłanie od ich cesarskich mości.

Nie sposób było się sprzeczać. Z wyrazem bezmiernej dezaprobaty na twarzy Madame pozwoliła Nikołajowi i Daninie opuścić gabinet. Było oczywiste, że podejrzewa lekarza, nie jest jednak pewna, czy to on jest przyczyną zdrady ze strony Daniny, a zatem nie śmie mu tego zarzucić wprost. Przeciwnie, pozwoliła im wyjść spokojnie. Danina sprowadziła go po schodach do małego ogródka. Na dworze było jeszcze chłodno, otuliła się więc szalem. Doktor był zmartwiony jej wychudzeniem i zmęczeniem, pragnął ją objąć i zatrzymać w ramionach.

– Czy dobrze się czujesz? – wyszeptał, kiedy przysiedli w ogródku. – Brak mi ciebie... Martwiłem się, że nie ma od ciebie wiadomości.

– Musieli wyrzucić moje listy. Odtąd sama je będę nadawała.

Bóg jeden wie, kiedy teraz dadzą jej tyle wolnego czasu, żeby mogła to robić.

– Co się stało? – zapytała z wyraźnym niepokojem, nadal jednak uśmiechając się do niego. Była uszczęśliwiona, że go widzi. – Czy dobrze się czujesz, Nikołaju?

– Oczywiście... Danino, kocham cię...

Wydawało się, że mówi to z bólem. Z trudem znosił udrękę rozłąki.

– Ja ciebie też – odpowiedziała szeptem. Ich palce splotły się w uścisku. Z góry, z okna na piętrze, niepostrzeżenie obserwowała ich Madame, nie mogła jednak słyszeć rozmowy. Dobrze za to widziała uścisk dwojga dłoni, który umocnił ją w podejrzeniach. Zacięła usta w cienką, gniewną kreskę wzgardy i determinacji.

– Czy już powiedziałeś Marie?

Ściągnął brwi i skinął głową.

– Parę dni temu.

Nie wyglądał na zadowolonego z wyniku rozmowy. Danina dostrzegła to od razu. Kiedy go słuchała, twarz miała ściągniętą.

– Co powiedziała?

Rozmowa z żoną była okropna, a dała początek zaciekłej walce, w której Nikołaj jednak nie zamierzał ulec.

– Nie uwierzysz, Danino. Ona nie chce wrócić do Anglii. Chce zostać w Rosji. Przez piętnaście lat groziła wyjazdem i opowiadała, jak nienawidzi tego kraju, a teraz nie chce wyjechać, kiedy proponuję jej wyzwolenie.

Na twarzy Daniny odbił się straszny zawód. Słuchała Nikołaja, starając się powstrzymać łzy.

– A rozwód?

– Nie chce go. Nie widzi powodu, żebyśmy mieli się rozejść. Przyznaje, że jest tak samo nieszczęśliwa jak ja, ale mówi, że nie dba już o szczęście w małżeństwie. Mówi, że nie życzy sobie poniżenia, jakim jest rozwód. Jeśli więc teraz zamieszkamy razem, Danino, ty i ja, nie będę mógł cię poślubić.

Wydawał się zdruzgotany. Chciał dać jej dom, szacunek, bezpieczeństwo, dzieci, całe nowe życie. Tymczasem wszystko, co może jej zaofiarować, to rola jego kochanki. To Danina, a nie Marie, byłaby teraz poniżona.

– Czy ktoś wie o nas? Car? – niespokojnie zapytała Danina.

– Sądzę, że coś podejrzewa, ale chyba nas nie potępia. Naprawdę cię lubi i parę razy znajdował już sposobność, żeby mi o tym wspomnieć.

– Nie martw się o to wszystko – z westchnieniem powiedziała Danina. – Z czasem to się ułoży. Tak czy owak muszę stąd odejść. Okropnie są tu ze mnie niezadowoleni, że byłam tak długo poza zespołem, a Madame grozi, że przeniesie mnie do *corps de ballet* i nie pozwoli mi więcej być primabaleriną. Mówi, że nie tańczę już tak dobrze jak dawniej. Chciałabym wrócić tam, skąd przyszłam, a tobie da to czas, żeby przekonać Marie. Cierpliwości.

Dzielnie usiłowała zapanować nad głosem. W rzeczywistości czuła popłoch na myśl o swoim życiu w balecie, na myśl o Nikołaju.

– Nie jestem pewien, czy potrafię być cierpliwy – powiedział z rozpaczą. – Tęsknię do ciebie w sposób niewyobrażalny. Kiedyż będziesz mogła z powrotem do nas zawitać?

Dni bez niej były dlań nieznośne, znacznie trudniejsze do zniesienia, niż się tego dawniej obawiał.

– Może latem, jeżeli pozwolą mi w tym roku na wakacje. Madame wspomina, że zatrzyma mnie tutaj, podczas gdy wszyscy się rozjadą, żebym pracowała nad sobą i nadrobiła stracony czas.

– Czy ona może tak postąpić? To nieuczciwe.

Wydawał się oburzony. Chciał mieć dziewczynę przy sobie.

– Może postąpić, jak się jej podoba. Nic tutaj nie jest uczciwe. Zobaczymy. Porozmawiam z nią o tym, kiedy przyjdzie czas. Na razie musimy cierpliwie czekać.

Tak czy owak chciał mieć więcej czasu na pertraktacje z Marie, na próby przekonania jej do wyjazdu z Rosji czy wreszcie do jakiegoś rodzaju separacji.

– Wracam do Carskiego Sioła, a z tobą spotkam się

za parę tygodni „na polecenie jego cesarskiej mości". – Uśmiechnął się. – Gdybym pisał listy, czy do ciebie dojdą?

– Może w carskiej kopercie – odrzekła z psotną miną, która go rozśmieszyła.

– Poproszę Aleksego, żeby adresował je za mnie. – Nachylił się i pocałował ją. – Nie martw się, kochanie. Przeżyjemy to wszystko. Nie mogą nas rozdzielić na zawsze. Musimy po prostu mieć trochę czasu, żeby znaleźć najlepsze wyjście. Ale nie za dużo czasu. Nie mogę znieść życia bez ciebie.

Już miał ją znowu pocałować, nawet nachylił się ku niej, kiedy ujrzeli w otwartych drzwiach Madame, piorunującą ich wzrokiem.

– Danino, czy masz zamiar spędzić cały dzień ze swoim *doktorem*? Czy jednak przy pracy? Może powinnaś być w szpitalu, skoro nadal jesteś tak chora, że cesarz tak bardzo martwi się o ciebie. Jestem przekonana, że znajdziemy dla ciebie dobry publiczny szpital, jeżeli wolisz leżeć tam, niż tańczyć tutaj.

Danina zerwała się na równe nogi. W swoich trykotach i w baletkach stanęła za Nikołajem, ten jednak przemówił pierwszy, zanim zdołała się odezwać.

– Proszę mi wybaczyć, Madame, jeśli zabrałem zbyt dużo czasu pannie Pietroskowej. Nie było to moim zamiarem. Byłem po prostu zaniepokojony.

– A więc żegnam pana, doktorze Obrażenski.

Cała jej wdzięczność dla niego za uratowanie Daniny przed pięciu miesiącami od dawna się ulotniła, a już zwłaszcza teraz, kiedy rozpoznała w nim wroga, z którym musi walczyć o Daninę. W tej kwestii nie miała już żadnych wątpliwości.

Zanim odszedł, pocałował Daninę w policzek, ona zaś przypomniała mu, żeby wszystkim przekazał od niej wyrazy przywiązania. Po pożegnalnym uścisku dłoni wróciła z ogrodu do zajęć w klasie. Nikołaj z bólem w sercu wyszedł frontowymi drzwiami z gmachu, w którym jadała i sypiała, pracowała i zamęczała się przez osiemnaście godzin dziennie. Marzył o tym, by móc ją wziąć ze sobą, a musiał pozostawić ją tutaj.

Ona zaś w klasie ćwiczeń pod okiem Madame rozpaczliwie usiłowała się skoncentrować i nie myśleć o nim. Madame była nieubłagana w swej czujności, nie szczędziła opryskliwych słów krytyki. Po dwóch godzinach, kiedy Danina zrobiła sobie przerwę, Madame spojrzała na nią z nieskrywaną wzgardą, dezaprobatą i niemal wściekłością w oczach.

– I cóż, oświadczył ci, że nie może porzucić żony? Że nie zgodziła się na rozwód? Głupia jesteś, Danino Pietroskowa, to przecież odwieczna historia. Będzie w kółko składał ci przysięgi i łamał je, aż złamie ci serce i zniszczy twoje życie tancerki, a od żony nigdy nie odejdzie.

Słowa jej wydawały się podyktowane doświadczeniem, a w każdym razie czuło się w nich zadawnioną gorycz. Nie wybaczyła i nie zapomniała ani też nie zamierzała tego czynić teraz.

– Czy to właśnie ci powiedział?

Starsza kobieta napierała, Danina jednak nie chciała jej przytaknąć. Wiedziała, że Nikołaj nigdy by jej nie zranił, cokolwiek sądzi na ten temat Madame, prześladowana przez demony przeszłości.

– Miał dla mnie wiadomość od ich cesarskich mości – odpowiedziała spokojnym tonem.

– I jakąż to?

Danina nie wspomniała, że życzą sobie ponownie zaprosić je latem. To już do reszty popsułoby jej stosunki z Madame. Wiedziała, że nie zdoła jej o tym powiedzieć.

– Tylko tyle, że brak im mnie i że martwią się o moje zdrowie.

– Jakże miło z ich strony, jakich to możnych masz teraz przyjaciół. Nie będą ci jednak pomagać, jeżeli przestaniesz tańczyć, wtedy nie będziesz im więcej potrzebna, a twój doktor zapomni o tobie na długo przedtem.

107

Mówiła to z goryczą, jakiej nigdy wcześniej Danina u niej nie dostrzegała.

– Niekoniecznie, Madame – odpowiedziała z cichą godnością, odwróciła się na pięcie i odeszła do dalszych zajęć. Nie byłaby w stanie znieść od dyrektorki więcej, a to, że Marie nie zgodzi się na rozwód czy na wyjazd do Anglii, nie miało dla niej znaczenia. I tak mogą podjąć życie we dwoje. Danina nadal pragnie być przy nim, po ślubie lub bez ślubu.

Odtąd każdy z majowych dni był torturą, coraz wymyślniejszą ze względu na ciągłe przytyki i zarzuty Madame. Danina ponoć gubiła krok, wypadała z tempa, jej ruchy były niezgrabne, ramiona jak z drewna, nogi sztywne, skoki byle jakie. Madame czyniła wszystko, co mogła, by doprowadzić Daninę do załamania, by złamać jej ducha. Chciała ją zmusić do walki o piękno własnego tańca, do odrzucenia wszystkiego, co nie było tańcem.

Danina jednak wytrwała, aż Nikołaj zajrzał do niej ponownie w czerwcu. Tym razem przywiózł osobisty list od cesarzowej. Ich cesarskie mości życzyli sobie, by Danina przyjechała do Liwadii w sierpniu, w miarę możności na cały miesiąc, Danina jednak nie wyobrażała sobie, jak zdoła tego dokonać. Sprawy Nikołaja w ciągu minionego miesiąca nie uległy zmianie. Jeżeli już to tej, że Marie z jeszcze bardziej niezłomnym uporem zamierzała tkwić na miejscu i robiła trudności z dziećmi, co wydawało się go coraz bardziej zdumiewać.

– Myślę, że ludzie już tacy są. Robią coś, żeby bardziej bolało. Jak Madame wobec mnie. To jakiś ich szczególny, własny sposób zemsty za to, że w duchu ich unikamy. Jeżeli cesarzowa naprawdę chce, żebym przyjechała, musi polecić Madame, żeby mnie wysłała. Ona nie ośmieli się odmówić jej cesarskiej mości, w przeciwnym razie nie pozwoli mi przyjąć zaproszenia i nie będę mogła pojechać.

– Nie mogą tak z tobą postąpić – żachnął się. – Nie jesteś tutaj niewolnicą.

– Prawie – odpowiedziała ze znużeniem. Przed odjazdem obiecał jednak, że przywiezie osobiste polecenie przyjazdu od cara, jeżeli okaże się to niezbędne.

Po powrocie wyznał to monarsze. Opowiedział mu o wszystkim, usilnie prosząc o pomoc w sprowadzeniu Daniny do Liwadii. Car, wzruszony jego słowami, przyrzekł uczynić, co w jego mocy, chociaż znał balet na tyle, by wiedzieć, jak rygorystyczne panują w nim porządki i jak wiele wymaga się tam od czołowych tancerzy.

– Nawet mnie mogą nie usłuchać – powiedział z uśmiechem. – Uważają, że są odpowiedzialni jedynie przed Bogiem, a nie jestem nawet pewien, czy przestrzegają Jego rozkazów. – Uśmiechnął się do Nikołaja.

List, który madame Markowa otrzymała w lipcu, nawet jej trudno jednak było zignorować. Cesarz tłumaczył, że od tego zależy zdrowie następcy tronu, który niezmiernie przywiązał się do Daniny, byłby zatem niepocieszony, gdyby nie przyjechała. Usilnie prosił Madame, by pozwoliła Daninie przyłączyć się do nich.

Kiedy tym razem Danina została wezwana do gabinetu, oczy Madame pałały, a usta miała twardo zacięte. Powiedziała tylko, że będzie jej towarzyszyła przez miesiąc w Liwadii. Miały wyjechać pierwszego sierpnia, a Madame w związku z tym podejrzewać można było o wszystko z wyjątkiem zachwytu. Nie to jednak pragnęła usłyszeć Danina. Postanowiła więc walczyć o swoje. Przez ostatnie trzy miesiące pracowała ciężko, niemal maniakalnie. Zasłużyła sobie na wolne chwile z Nikołajem. Tego tylko chciała dla siebie, na mniej nie mogła przystać.

– Nie, Madame – powiedziała, wprawiając w zdumienie przełożoną. Przemawiała tonem osoby dorosłej, a nie posłusznego dziecka.

– Nie pojedziesz? – Madame była oszołomiona. A więc wygrała tę batalię. Po raz pierwszy od powrotu Daniny oczy jej z wolna zaczęły jaśnieć. Od kwietnia Danina była w jej pojęciu zdrajczynią. – Nie chcesz go widzieć?

W jej uszach brzmiało to jak triumfalna muzyka, wojna została wygrana znacznie mniejszym nakładem sił, niż śmiała przypuszczać.

– Nie. Chcę pojechać sama. Nie ma pani powodu jechać ze mną. Nie potrzebuję przyzwoitki, Madame, aczkolwiek cenię sobie pani gotowość przyłączenia się do mnie. Czuję się teraz całkiem swobodnie w domu cesarskim, a jestem przekonana, że życzą sobie widzieć mnie samą.

W istocie, nie było w zaproszeniu mowy o madame Markowej, obie o tym wiedziały.

– Nie puszczę cię samej – oświadczyła Madame z płonącymi oczami.

– A zatem wyjaśnię cesarzowi, że nie jestem w stanie wypełnić jego rozkazów.

Danina przeciwstawiała się jej z determinacją, której Madame nigdy wcześniej w niej nie zauważyła, była więc bardziej niż kiedykolwiek niezadowolona. Uśmiech zniknął z jej twarzy, z oczu wiało chłodem.

– A więc dobrze. Możesz jechać na miesiąc. Nie obiecuję jednak, że będziesz nadal primabaleriną, kiedy we wrześniu otworzymy sezon *Giselle*. Dobrze się nad tym zastanów, Danino, zanim zdecydujesz się na to ryzyko.

– Nie mam się nad czym zastanawiać, Madame. Jeżeli taka jest pani decyzja, zniosę to.

Obie jednak wiedziały, że dziewczyna tańczy teraz lepiej niż kiedykolwiek. Odzyskała wszystkie siły i całą zręczność, zyskując nawet na nowej i bardziej wyszukanej technice. Do jej dyscypliny i talentu doszła teraz dojrzałość, a wyników nie sposób było zlekceważyć.

– Zaczynamy próby pierwszego września. Masz być tutaj ostatniego dnia sierpnia – tyle tylko wykrztusiła Madame, po czym wypadła z gabinetu, pozostawiając Daninę samą.

W dwa tygodnie później Danina bez przyzwoitki jechała pociągiem do Liwadii, myśląc o przyjaciółce, którą straciła w swojej preceptorce. Miała teraz niezbitą pewność, że

Madame nigdy jej nie wybaczy zdrady baletu. Nie odezwała się ani słówkiem do Daniny aż do dnia wyjazdu, celowo też uniknęła spotkania, kiedy Danina wstąpiła się pożegnać. Ich przyjaźń legła w gruzach, i to tylko z powodu miłości Daniny do Nikołaja. Danina jednak nie zamierza się wyrzec ani jego, ani sposobności do spędzenia z nim czasu. Nic nie jest dla niej ważniejsze. Nawet balet.

Rozdział szósty

Wspólny pobyt w Liwadii był dla Daniny i Nikołaja sielanką. Zamieszkał z nią, tym razem otwarcie, w małym, ustronnym pawilonie gościnnym, a cesarz i cesarzowa traktowali ich jak męża i żonę. Wydawali się ich rozumieć.

Pogoda była piękna, dzieci ucieszone, że znowu widzą Daninę, Aleksy zaś, wierny obietnicy, nawet „uczył" ją pływać, przy czym Nikołaj „troszkę" pomagał.

Nikołaj żałował tylko, że dziewczyna nie może poznać jego synów. Było to jednak obecnie niemożliwe. Marie nadal nie zgadzała się na rozwód, w końcu jednak wybrała się na lato w odwiedziny do ojca w Hampshire i wzięła chłopców ze sobą. Nikołaj miał nadzieję, że pobyt ten uprzytomni Marie, jak kocha tamte strony, i że zdecyduje się tam zamieszkać, ze znacznie mniejszym optymizmem zapatrywał się jednak na odmianę jej serca. Miała chyba niezłomny zamiar pozostania jego żoną, choćby po to, żeby go dręczyć.

— To nic, kochanie. Jesteśmy i tak szczęśliwi, prawda? — przypominała mu Danina, kiedy o tym mówił.

Byli szczęśliwi w tym wspólnym domku. Codziennie rano jedli śniadanie we dwoje, na swoim tarasie, a do pozostałych posiłków siadali wraz z rodziną carską. W jej gronie spędzali cały dzień, a dla siebie mieli długie, namiętne noce.

– Chcę ci dać coś więcej niż domek użyczony z łaski cara – ponuro powiedział kiedyś Nikołaj; tego dnia bardziej niż zwykle nienawidził Marie za to, że nie chce mu zwrócić wolności.

– Kiedyś będziemy mieli więcej, a na razie pozostanę w balecie, jak długo będę musiała.

Danina bardziej niż Nikołaj skłonna była kapitulować przed losem. On jednak martwił się o nią.

– Ta kobieta cię zabije, jeżeli dłużej pozostaniesz w zespole – utyskiwał. O Madame miał nie lepsze zdanie niż ona o nim. Odkąd zaś Danina wróciła do tańca cztery miesiące temu, wyglądała szczuplej niż kiedykolwiek; po przyjeździe z Petersburga była wyczerpana. To nieludzkie tak ciężko pracować.

Tym razem przestrzegała dyscypliny codziennych ćwiczeń, sprawność jej mięśni nie ucierpiała więc w czasie pobytu w Liwadii, Aleksy zaś uwielbiał obserwować jej taniec i wielogodzinne ćwiczenia. Cesarzowa kazała sporządzić dla Daniny drążek. Po ćwiczeniach chodzili na długie spacery z Nikołajem. Pod koniec miesiąca Danina była w świetnej formie, lecz po tym jeszcze jednym miesiącu wspólnej sielanki nie mogła znieść myśli o ponownym rozstaniu.

– Nie możemy tak żyć wiecznie – powiedziała ze smutkiem – widując się przez parę minut raz w miesiącu podczas twoich odwiedzin. Nie mam zamiaru porzucać tańca, ale nie mogę znieść rozłąki z tobą.

Nie czekała już jej żadna przerwa wakacyjna aż do Bożego Narodzenia. Rodzina carska zaprosiła ją na święta do Carskiego Sioła. Miałaby nawet do dyspozycji swój dawny pawilon, zamieszkaliby tam razem. Wszystko to jednak miało nastąpić dopiero za niemal cztery miesiące, a Danina z przerażeniem myślała o tym, co będzie musiała wycierpieć przez ten czas w Petersburgu. Cztery miesiące piekła pod okiem madame Markowej, podczas których ma pokutować za miłość do mężczyzny silniejszą niż umiłowanie tańca. Od takiego życia można oszaleć.

– Chcę, żebyś skończyła z baletem od Bożego Narodzenia – powiedział wreszcie Nikołaj ich ostatniej wspólnej nocy. – Znajdziemy jakiś sposób, żeby to załatwić. Zapewne mogłabyś uczyć tańca wielkie księżniczki albo niektóre damy dworu. Może uda mi się znaleźć dla ciebie małą willę w pobliżu pałacu, byłabyś więc przy mnie.

To ostatnia nadzieja, jeżeli Marie nie da mu rozwodu.

– Zobaczymy – odpowiedziała Danina cierpliwie. – Nie możesz z mojego powodu rujnować sobie życia. Jeżeli Marie posunie się za daleko, może ci przysporzyć kłopotów na dworze albo wywołać potworny skandal. To ci niepotrzebne.

– Porozmawiam z nią raz jeszcze, kiedy wróci z Anglii, a później zajrzę do ciebie.

Jednakowoż zaraz po powrocie Daniny do Petersburga Aleksy poczuł się źle, Nikołaj musiał więc dyżurować przy nim godzinami, dzień w dzień, przez sześć tygodni z rzędu. Dopiero w połowie października zdołał się wreszcie z nią zobaczyć. Tymczasem Madame, ku wielkiej uldze Daniny, zachowała dla niej rolę primy, dziewczyna więc zgodnie z przyrzeczeniem tańczyła *Giselle*.

Natomiast Nikołaj przywiózł tym razem wyłącznie złe wiadomości. Aleksy nadal chorował, chociaż jego stan z wolna się poprawiał, na tyle przynajmniej, by doktor mógł go opuścić na kilka godzin. Dwie wielkie księżniczki zapadły jednak na influencę, co też przysporzyło mu zajęć. Daninie wydał się bardzo zmęczony i smutny, choć oczywiście uszczęśliwiony jej widokiem.

Marie wróciła z Anglii przed dwoma tygodniami, bardziej niż kiedykolwiek niezłomna w kwestii rozwodu. Zaczęła dawać posłuch plotkom o Daninie i groziła, że wywoła potężne zamieszanie, które może kosztować doktora stanowisko, a nawet przekreślić wszelkie jego związki z rodziną carską. Właściwie po prostu go szantażowała, czyniąc zeń swojego zakładnika, kiedy zaś spytał o powód, odparła, że jest jego obowiązkiem traktować ją z szacunkiem i nie przysparzać kłopotów jej i dzieciom, chociaż nie omieszkała dodać, że nigdy go nie kochała. Teraz jednak za wszelką cenę chciała go zatrzymać. Uważała że byłoby czymś kompromitującym stracić go na rzecz innej kobiety, i to tancerki. W jej ustach brzmiało to tak, jakby Danina była prostytutką. Przyprawiało to doktora o furię. Kłócili się bez przerwy, ale bez zgody żony nie mógł nic zrobić. Był tym bardzo przygnębiony, co Daninie nietrudno było dostrzec.

Pojawił się znowu w listopadzie, a madame Markowa omal nie zabroniła mu widzenia z Daniną, był jednak tak stanowczy, że rozpłynęła się wreszcie w przeprosinach. Z uwagi na próby pozwoliła jednak Daninie tylko na pół godziny sam na sam z Nikołajem. Ulgę przynosiła im jedynie myśl o trzech tygodniach, które mają spędzić razem w okresie świąt i Nowego Roku. Tylko ta nadzieja trzymała ich przy życiu.

Doktor przyjeżdżał poza tym w miarę możności na wszystkie występy Daniny. Na jeden przybył też jej ojciec, jak zresztą czynił co roku, niestety, jednak nie zetknęli się na tym samym przedstawieniu, dziewczyna nie mogła więc przedstawić ojcu Nikołaja.

Na tydzień przed Bożym Narodzeniem rodzinę dotknęła tragedia. Najmłodszy i ukochany brat Daniny poległ w bitwie pod Mołodecznem. Na swój ostatni występ przyszła w grubej żałobie. Kiedy Nikołaj przybył, żeby ją zabrać do pawilonu gościnnego w Carskim Siole, była smutna, do głębi przygnębiona utratą brata. Cierpiała bardzo, świadoma, że nigdy już go nie zobaczy. Nawet Aleksy, który odwiedził Daninę po jej przybyciu, uznał, że jest bardzo smutna i dużo cichsza niż zwykle, o czym nie omieszkał donieść rodzicom.

Boże Narodzenie w ich gronie miało jednak w sobie baśniowy czar, a pociechę znajdowała też w towarzystwie

Nikołaja, w cichych z nim rozmowach i, jak dawniej, w lekturze pożyczanych od niego książek. Podobnie jak latem w Liwadii, nie krył się z tym, że zostaje u niej na noc. Mówili dużo o swojej wzajemnej miłości i o radości wspólnie spędzanych chwil, niewiele jednak rozmawiali teraz o przyszłości. Marie obwarowała się na swojej tyleż nierozsądnej, ile niewzruszonej pozycji. Nikołaj zaczął się mimo wszystko rozglądać za jakimś małym domkiem dla niej. Postanowił wreszcie zebrać pieniądze na kupno jednego, w którym mogłaby zamieszkać z nim po odejściu z baletu. Oboje jednak wiedzieli, że upłynie sporo czasu, zanim będą mogli sobie na to pozwolić. Danina przyrzekła sobie i jemu tańczyć jeszcze przez cały sezon wiosenny, może nawet do końca roku.

Kiedy jednak wróciła do baletu, poczuła się źle. Jadała nawet mniej niż dotąd. Kiedy Nikołaj ujrzał ją pod koniec stycznia, był po prostu przerażony jej wyglądem i bladością.

– Pracujesz za ciężko. – Tym razem zwykłe wyrzuty czynił jej znacznie dobitniej. – Danino, jeżeli nie przestaniesz, oni cię zabiją.

– Nie można umrzeć za taniec.

Uśmiechnęła się, za żadne skarby nie chcąc się przyznać, jak źle się czuje. Nie chciała go martwić, aż nadto miał kłopotów z Marie i chorobą następcy tronu. W ciągu tego dnia miała jednak coraz silniejsze zawroty głowy, dwa razy omal nie zemdlała w czasie ćwiczeń. Nic nie powiedziała nikomu i nikt bodaj nie zauważył, w jak fatalnym jest stanie. W lutym czuła się tak źle, że pewnego ranka po prostu nie miała sił zwlec się z łóżka.

Mimo wszystko zmusiła się do tańca tego popołudnia, kiedy jednak Madame ją ujrzała, Danina z zamkniętymi oczami, szara na twarzy, siedziała na ławce.

– Znowu jesteś chora? – zapytała dyrektorka oskarżycielskim tonem, nadal nie chcąc i nie będąc w stanie wybaczyć jej przedłużającego się romansu z młodym lekarzem. Nie kryła, że uważa to za hańbę, i traktowała Daninę na dystans.

– Nie, czuję się dobrze – słabym głosem odpowiedziała dziewczyna.

Madame mimo wszystko wodziła za nią zatroskanym spojrzeniem, a kiedy po paru dniach Danina znów o mało nie zemdlała na próbie późnym wieczorem, przełożona zauważyła to natychmiast i podbiegła, by jej pomóc.

– Czy mam wezwać doktora? – Tym razem jej głos brzmiał łagodniej.

Prawdę mówiąc, Danina oddała baletowi w ofierze wszystko, co miała, a nawet więcej, ale w pojęciu Madame nie równoważyło to już długu, jaki dziewczyna u nich zaciągnęła. Madame nie miała dla niej litości, widząc jednak, jak poważnie chora jest Danina, i ona zmiękła.

– Czy chcesz, żebym posłała po doktora Obrażenskiego? – zapytała ku wielkiej konsternacji Daniny.

Dziewczyna o niczym tak nie marzyła, jak o pretekście do spotkania z Nikołajem, nie chciała go jednak straszyć, a była pewna, że jest bardzo chora. Najpoważniej od roku, od czasu influency. Przez dziesięć miesięcy po powrocie do baletu niemiłosiernie się jednak forsowała. Nabrała teraz przekonania, że podkopała własne zdrowie, przed czym przestrzegał ją Nikołaj. W głowie ciągle się jej kręciło, nie mogła przełknąć ani kęsa bez gwałtownego przypływu mdłości, była wyczerpana. Z trudem udało się jej ustawić jedną stopę przed drugą, a przecież tańczyła od szesnastu do osiemnastu godzin dziennie. Co wieczór, kiedy kładła się do łóżka, myślała, że już z niego nie wstanie. Może jednak Nikołaj miał rację, pomyślała którejś nocy, nie mając dość sił, żeby wstać i zwymiotować. Może ten balet po prostu ją zabija.

W pięć dni później nie była w stanie podnieść się z łóżka, a czuła się tak okropnie, że nie obchodziło jej, co Madame z nią zrobi ani kogo do niej wezwie. Chciała tylko tak leżeć, aż umrze. Żal jej było jedynie, że nie zobaczy już Nikołaja i zastanawiała się, kto go zawiadomi, kiedy jej już nie będzie.

Leżała z zamkniętymi oczami, pomału tracąc poczucie rzeczywistości, a kiedy chwilami uchylała powieki, pokój zaczynał z wolna kołować, a jej się roiło, że widzi go, stojącego obok łóżka. Wiedziała, że nie może go tu być, zastanawiała się więc, czy to znowu maligna jak podczas influency. Słyszała nawet, że mówi coś do niej, woła ją po imieniu, a potem odwraca się do Madame i pyta, dlaczego nie wezwała go wcześniej.

– Nie chciała, żebym pana wezwała – odpowiada widmo Madame. Danina słyszy to i znowu uchyla powieki, żeby go zobaczyć. Nawet jeżeli ta zjawa nie jest prawdziwa, myśli, wygląda całkiem jak Nikołaj. Poczuła jego rękę na swojej, kiedy mierzył jej tętno, a potem pochylił się nisko nad nią i zapytał, czy go słyszy. Mogła tylko potwierdzić ruchem głowy; czuła się zbyt chora, żeby wykrztusić słowo.

– Musimy ją zabrać do szpitala – przemawia zjawa bardzo wyraźnie. Tym razem jednak Danina nie miała gorączki.

Doktor nie wiedział jeszcze, co jej dolega poza tym, że jest poważnie chora i niezdolna podnieść cokolwiek do ust od tylu dni, że właściwie wydaje się umierająca. Na płacz mu się zbierało, kiedy na nią patrzył.

– Pani dosłownie zagoniła ją na śmierć, Madame – wydusił z ledwie hamowaną furią. – Jeżeli ona umrze, odpowie pani za to przede mną. I przed carem – dorzucił dla wywołania większego wrażenia.

Danina, słuchając tych słów, uprzytomniła sobie, że tym razem nie majaczy, że to naprawdę on. To naprawdę Nikołaj.

– Nikołaj? – zapytała słabym głosem, kiedy znowu ujął jej rękę i pochylił się nad nią.

– Nic nie mów, kochanie, spróbuj odpocząć. Jestem przy tobie.

Stał przy niej i rozmawiał z Madame o szpitalach i o ambulansie, a Danina próbowała mu powiedzieć, że tego wszystkiego nie trzeba. To za wiele kłopotu. Po prostu chce leżeć w łóżku, aż umrze, i żeby Nikołaj był przy niej i trzymał ją za rękę.

Wyprosił wszystkich z pokoju i zbadał ją uważnie, z tęsknotą przypominając sobie jej zgrabne ciało. Nie był z nią od dwóch miesięcy, a przecież nic się nie zmieniło. Kochał ją jak przedtem, ale ona nadal była własnością baletu, jak on własnością Marie. Podobnie jak Danina, ostatnio zaczynał się zastanawiać, czy kiedykolwiek będą razem, czy też wszystko na zawsze pozostanie tak jak teraz.

– Co się z tobą stało? Czy potrafisz mi powiedzieć, Danino?

– Nie wiem... ciągle mnie mdli – wymamrotała, w pół zdania zapadając w sen i budząc się na powrót, czując się nieuleczalnie chora i osłabiona nudnościami. Żołądek jednak od dawna miała pusty. Nie miała już nawet żółci. Tylko mdłości bez wymiotów – i tak od wielu już dni. Łatwiej było wcale nie jeść i nie pić, niż zrzucać wszystko co chwila. A przecież tańczyła przy tym po szesnaście godzin dziennie, zmuszając się do tego, aż zabrakło jej sił.

– Danino, mów do mnie – nalegał, ciągle ją budząc. Zaczął się martwić, czy nie zapadnie w śpiączkę z powodu wygłodzenia, odwodnienia i zwykłego wyczerpania. Dosłownie zagonili ją na śmierć. Jej organizm załamał się pod ustawiczną presją, nie znajdując w niczym oparcia.

– Jak się czujesz? Jak długo to już u ciebie trwa?

O mało nie oszalał z niepokoju. Czekano, by powiedział, czy chce ją zabrać do szpitala, czy potrzebny jest ambulans. Nie był jeszcze pewien, coraz bardziej natomiast przerażał go jej wygląd.

– Od jak dawna tak się czujesz? – zapytał znowu.

Nie było z nią tak źle, kiedy widział ją poprzednio, chociaż nie wyglądała dobrze, a nawet przyznała się, że ostatnio czuje się nie najlepiej.

– Miesiąc... dwa miesiące – odpowiedziała zanikającym głosem.

– Od tak dawna wymiotujesz? – Był przerażony.

Od jak dawna dziewczyna pozbawiona jest właściwego żywienia? Jak długo zdoła to przetrwać? Dzięki Bogu madame Markowa ostatecznie go wezwała. Nie śmiałaby tego nie zrobić z uwagi na związki Daniny z monarchą. Bez względu na gniew, jaki przez ostatni rok budziła w niej Danina, Madame właściwie ją kochała, toteż i ona przerażona była tym, co widzi.

– Danino... mów do mnie... Kiedy to się zaczęło? Dokładnie. Spróbuj sobie przypomnieć.

Nikołaj nalegał, aż Danina otworzyła oczy i spróbowała sobie uprzytomnić, od jak dawna jest chora. Wydawało się jej, że całą wieczność.

– Styczeń. Kiedy wróciłam po świętach.

To prawie dwa miesiące. Ale teraz chce tylko spać i żeby on przestał do niej mówić.

– Czy coś cię boli?

Delikatnie badał całe jej ciało, ale na nic się nie skarżyła. Była po prostu rozpaczliwie słaba i niedożywiona. Dosłownie zagłodzona. Pomyślał o wyrostku robaczkowym, nie było jednak żadnych śladów zapalenia, potem o krwawiącym wrzodzie, kiedy ją jednak zapytał, zapewniła, że wcale nie wymiotowała krwią ani niczym złowieszczo ciemnym. Żadnych objawów z wyjątkiem ustawicznych wymiotów, a teraz zamroczenia i obezwładniającego osłabienia. Nie śmiał nawet przenieść jej do szpitala, póki nie dowie się czegoś więcej. Nie podejrzewał ani gruźlicy, ani tyfusu, chociaż ten ostatni nie był niemożliwy. W takim wypadku byłaby już w agonalnym stadium choroby. Tak jednak nie uważał.

Osłuchiwał jej płuca, serce. Tętno było słabo wyczuwalne, wciąż jednak nie mógł zrozumieć, o co chodzi. Zadał jej pytanie, o którym wiedział, że zabrzmi niedelikatnie. Był jednak nie tylko jej kochankiem, był lekarzem, musiał więc wiedzieć. Ale i odpowiedź na to pytanie go nie zaskoczyła. Jej organizm był tak wyniszczony, tańczyła tak dużo, tak długo, tak ciężko, że nie było niczym niezwykłym zaburzenie funkcji kobiecych. A potem nagle przyszło mu do głowy coś innego. Zawsze byli ostrożni... zawsze... z wyjątkiem nocy wigilijnej. Tylko raz. Albo dwa razy.

Znów zbadał ją starannie i ze ściśniętym sercem odgadł prawdę. Delikatnie przesunął dłonią w dół jej brzucha i dotknął małej, ledwie wyczuwalnej wypukłości. Była jednak na tyle duża, by podpowiedzieć coś, co wcześniej nawet mu przez myśl nie przeszło. Niemal na pewno Danina jest od dwóch miesięcy brzemienna, a traktując siebie samą tak brutalnie, czując się tak źle, pracując tak ciężko, mogła po prostu umrzeć. Jeżeli zaś jest w ciąży, w obecnym stanie cudem tylko mogłaby nie stracić dziecka.

– Danino – wyszeptał, kiedy znowu się ocknęła i spojrzała nań pytająco. – Myślę, że jesteś w ciąży.

Powiedział to tak cicho, by nikt go nie usłyszał. Danina, zaskoczona, szeroko otworzyła oczy. Przyszło jej to przedtem do głowy parę razy, odpędziła jednak tę myśl. To niemożliwe. Nie wolno jej tak myśleć. Skoro jednak on to powiedział, musi to być prawda. Zamknęła oczy, a spod powieki spłynęła jej łza.

– Co my teraz zrobimy? – szepnęła, patrząc na niego z rozpaczą. To już naprawdę zniszczy życie ich obojga, a Marie nigdy nie zwróci mu wolności, choćby przez zemstę.

– Musisz pojechać ze mną. Możesz zamieszkać w pawilonie, dopóki się nie wzmocnisz.

To jednak było tylko tymczasowe rozwiązanie. Wiedzieli o tym oboje. Czekały ich znacznie większe kłopoty.

– A co potem? – zapytała smutnie Danina. – Nie mogę zamieszkać z tobą... nie możesz się ze mną ożenić... car pozbawi cię stanowiska... nie stać nas jeszcze na dom... a jeśli masz rację, nie mogę też dłużej tańczyć.

A że on ma rację, już wiedziała. Były wcześniej takie

dziewczęta, które tańczyły, jak długo się dało, ale po paru miesiącach rzecz wychodziła na jaw i wypędzano je. Niektóre straciły dziecko po długich godzinach wyczerpujących ćwiczeń. Wiedziała o tym. Nic teraz nie będzie dla niej proste.

– Poradzimy sobie z tym oboje – powiedział Nikołaj, pełen trwogi o nią. Nie zdołał nawet zapewnić jej dachu nad głową, jednego, jedynego miejsca, w którym mogłaby powić ich dziecko. Nic jednak nie wydawało mu się piękniejsze niż myśl o dziecku, zrodzonym z ich miłości. A jednak nie mają domu ani nadziei, że go zdobędą. Jak mieliby się utrzymać, gdyby ona przestała tańczyć? Ich oszczędności są żałośnie małe, jej zaś bardziej teraz potrzeba modlitwy niż pieniędzy. Marie i chłopcy wydają co do grosza wszystko, co on zarobi.

– Pomyślimy o czymś – powiedział łagodnie.

Potrząsnęła tylko głową i rozpłakała się cicho, kiedy ją objął. Rozpacz ostatecznie odebrała jej siły.

– Pozwól, że cię stąd zabiorę – rzekł z niepokojem. – Nikt tutaj nie musi wiedzieć, dlaczego jesteś chora. Musimy o tym pomówić.

Ona jednak wiedziała lepiej niż ktokolwiek inny, że nie ma o czym mówić i że nie ma nadziei. Wszystkie ich marzenia są nadal sprawą odległej przyszłości, a urzeczywistnić ich nie ma jak.

– Muszę zostać tutaj – powiedziała, na samą myśl o wyjeździe czując się gorzej. Tym razem nie może z nim wyjechać.

Ale on nie zgadzał się jej opuścić, zwłaszcza teraz, wiedząc, co narobił.

Pozostał przy niej do późnej nocy. Powiadomił Madame, że obawia się, czy to nie groźny wrzód. Dodał, że jego zdaniem chora powinna wrócić do pawilonu przy pałacu, aż wydobrzeje. Danina wszakże stawiła opór. Powiedziała Madame, że nie chce słyszeć o wyjeździe, że czuje się zbyt chora i że tutaj może wydobrzeć równie szybko jak w Carskim Siole, co zresztą było oczywistą nieprawdą. Madame jednak była zadowolona, że dziewczyna nie chce wyjechać z doktorem. Uznała to za pokrzepiającą oznakę dogasania romansu. Po raz pierwszy przecież Danina oparła się jego słowom.

– Jesteśmy w stanie zapewnić jej tu doskonałą opiekę, panie doktorze, choć nie w tak luksusowych warunkach jak w Carskim Siole – z odcieniem sarkazmu oświadczyła dyrektorka Nikołajowi, oszołomionemu odwagą Daniny. Spierał się z nią bez końca, kiedy Madame wyszła.

– Chcę cię mieć koło siebie. Chcę się tobą opiekować, Danino. Musisz wyjechać.

– Na jak długo? Na miesiąc? Dwa? A co potem? – zapytała z przygnębieniem.

Wiedziała, że jest tylko jedno rozwiązanie, ale nie wspomniała mu o tym. Znała dziewczęta z baletu, które to zrobiły i przeżyły. O niczym tak nie marzyła, jak o tym dziecku, ale nie było nadziei, że będą je mieli. Może później, ale nie w obecnych okolicznościach. Muszą spojrzeć prawdzie w oczy. Nie miała jednak pewności, czy Nikołaj jest gotów się z tym pogodzić. A właściwie była przekonana, że nie. Za bardzo się o nią niepokoił.

– Musisz mnie tu zostawić, Nikołaju – powiedziała. – Możesz wrócić za parę dni.

– Wrócę jutro – zapewnił i wyszedł pełen trwogi o nią, przerażony położeniem, w jakim się znalazła. Tylko raz czy dwa nie uważali, ale to, co się stało, zupełnie go zaskoczyło. Musi jej pomóc znaleźć jakieś rozwiązanie. Jest winien, wie o tym, znacznie bardziej niż ona. Dręczyła go myśl, że Danina płaci za to cenę wyższą niż on.

Kiedy jednak wrócił nazajutrz, żadne z nich nadal nie widziało prostego wyjścia. Nie mieli za co utrzymać dziecka ani zapewnić mu opieki. Nie stać ich było nawet na mieszkanie. Danina wiedziała, że to wszystko jest po prostu nierealne, chociaż on zapewniał, że to nieprawda. Nie wdawała się w spór. Leżała w przygnębieniu, cicho płacząc, nadal dręczona nudnościami i wymiotami. Doktor zmuszał ją teraz do jedzenia i do przyjmowania jak największej ilości płynów. Wydawała mu się nieco mocniejsza, ona jednak, rozbita chorobą, czuła się bodaj jeszcze gorzej. Znowu łzy zakręciły mu się w oczach, kiedy usiadł bezradnie i zapatrzył się w nią. Wiedział, że dziewczyna poczuje się lepiej za parę miesięcy. Tymczasem jednak czekają ją męczarnie.

Kiedy odjechał, Danina poprosiła o rozmowę jedną z tancerek. Wiedziała, że Waleria zrobiła dwa razy to, o czym Danina tylko słyszała od innych. Waleria poradziła jej, dokąd się udać, z kim pomówić, a nawet zaproponowała, że wybierze się razem z nią. Danina z wdzięcznością przyjęła propozycję.

Obie dziewczyny nazajutrz rano jak najciszej wymknęły się z budynku. Pozostali byli w cerkwi. W cerkwi, jak co niedziela, była też Madame. Danina oczywiście nie mogła pójść z powodu choroby, a Waleria udała migrenę. Wyszły w pośpiechu, Danina po drodze co pięć minut dostawała mdłości. Musiały przejść przez pół miasta, aż wreszcie dotarły pod właściwy adres w ubogiej, tonącej w nieczystościach dzielnicy.

Był to mały, ciemny dom z brudnymi zasłonami w oknie. Spojrzenie kobiety, która otworzyła im drzwi, przyprawiło Daninę o dreszcz, Waleria jednak zapewniała, że wszystko będzie wykonane szybko i sprawnie. Danina wzięła ze sobą wszystkie swoje oszczędności, a teraz modliła się w duchu, by starczyło pieniędzy. Ze zgrozą wysłuchała, ile ją to będzie kosztować.

Kobieta, która przedstawiła się jako „pielęgniarka", zadała Daninie całą litanię pytań. Chciała mieć pewność, że nie jest zbyt późno, nie wyglądało jednak, żeby termin dwumiesięczny ją przeraził. Odebrała Daninie połowę pieniędzy i zaprowadziła ją do sypialni w tylnej części domu. Prześcieradła i powłoczki były brudne, a na podłodze widać było plamy krwi, których nikt nie pofatygował się zmyć po wizycie poprzedniej „pacjentki".

Stara umyła ręce w misce z wodą ustawionej w korytarzu i wyjęła z szafy ułożone na tacy narzędzia. Zapewniła, że są czyste, Daninę jednak przeraził ich wygląd, kiedy na chwilę oderwała wzrok od staruchy.

– Mój ojciec był doktorem – wyjaśniła „pielęgniarka", Danina jednak nie chciała tego słuchać. Chciała to już mieć za sobą. Gdyby Nikołaj wiedział, co ona tu robi, niechybnie uczyniłby wszystko, żeby ją powstrzymać, i nigdy by jej nie wybaczył, gdyby odkrył prawdę. Teraz jednak nie wolno jej o tym myśleć. Najgorsze, że oboje pragną tego dziecka, ale przecież ona wie, że mieć go nie mogą. Nie ma co nawet o tym marzyć; to, co robi, robi dla dobra ich obojga. Nieważne, że to takie straszne, zrobi to, choćby miała umrzeć. Właśnie kiedy o tym pomyślała i zastanowiła się, czy rzeczywiście jej to nie zabije, pielęgniarka kazała jej się rozebrać. Podczas rozbierania ręce drżały Daninie niemiłosiernie. W końcu położyła się na brudnym łóżku w samym swetrze, a starucha obmacała jej brzuch i skinęła głową. Tak jak wcześniej Nikołaj, wyczuła w dole brzucha małą, krągłą, prężną wypukłość.

Cokolwiek dawniej zdarzyło się w życiu Daniny, nic nie przygotowało jej do tego poniżenia i grozy. Czegokolwiek zaznała z Nikołajem, nic nie miało związku z tym, co się działo w tej chwili, a kiedy o tym pomyślała, zaczęła wymiotować. To jednak nie było w stanie powstrzymać kobiety, która nazywała siebie pielęgniarką. Zapewniła tylko Daninę, że raz-dwa będzie po wszystkim. Powiedziała jej, że może tu chwilkę zostać, żeby zebrać siły na drogę powrotną. Potem musi odejść. Jeśli będą jakieś komplikacje, ma wezwać lekarza, a tutaj nie wracać. Oznajmiła, że ewentualnych komplikacji nie leczy. Ona robi swoje, a reszta to już kłopot Daniny. Gdyby tu wróciła, nie wpuści jej do środka, dodała ponuro.

– Zaczynamy – oznajmiła energicznie. Wolała z każdą

pacjentką uwinąć się szybko, bo sprawiały jej za dużo kłopotu. Przedłużające się wymioty Daniny jej nie powstrzymywały, ale dziewczyna poprosiła o chwilę zwłoki. Wreszcie dała znak, że jest gotowa. Była zanadto przerażona, żeby mówić.

Na polecenie starej przypięła się pasem do łóżka. Starucha silną ręką przygniotła jej nogę, surowo nakazując dziewczynie, by się nie ruszała. Nogi Daniny dygotały jednak zbyt mocno, by mogła usłuchać polecenia. Nic, co kiedykolwiek słyszała od innych, nie przygotowało jej na przeszywający ból, jaki odczuła, gdy baba sięgnęła jej wnętrza swoim narzędziem. Usiłowała nie krzyczeć, wbijając oczy w sufit i dusząc się własnymi wymiocinami. Wydawało się, że ból nigdy nie ustanie. Nagle pokój zakołował nad nią i niemal w tej samej chwili zapadła w zbawienną ciemność. Stara zaczęła nią potrząsać, a na czole położyła jej mokrą ścierkę. Powiedziała, że Danina może już wstać. Jest po wszystkim.

– Chyba jeszcze nie utrzymam się na nogach – powiedziała Danina słabym głosem.

W pokoju wisiał smród wymiotów. Na widok miski z krwią koło łóżka dziewczyna o mało znów nie zemdlała, ale baba siłą postawiła ją na nogi i bez ceregieli zaczęła ją ubierać. Danina chwiała się, półprzytomna, pełna bólu i grozy, a baba upychała jej szmaty między nogami. Nie wiadomo, jak udało się Daninie dowlec do sąsiedniego pokoju i odnaleźć koleżankę, którą w zamroczeniu ledwie mogła dostrzec. Oszołomiło ją odkrycie, że są tutaj dopiero niecałą godzinę. Waleria wyglądała na zatroskaną, ale uspokojoną. Kto jak kto, ale ona dobrze wiedziała, jakie to paskudne. W końcu sama robiła to dwa razy.

– Zaprowadź ją do domu i niech leży – rzuciła „pielęgniarka", przytrzymując im drzwi. Miały szczęście, że złapały dorożkę. Danina nie zapamiętała nic z drogi powrotnej do szkoły. Wszystko, co była sobie w stanie później przypomnieć, to wspinaczka po schodach z powrotem do łóżka i szmaty uwierające ją między nogami, i palący ból, jaki starucha posiała w jej wnętrzu. Dziewczyna nie była teraz w stanie myśleć o niczym – ani o Nikołaju, ani o ich dziecku, ani o tym, co się zdarzyło. Z cichym jękiem osunęła się na łóżko i straciła przytomność.

Rozdział siódmy

Nikołaj tego popołudnia zastał ją leżącą w ubraniu na łóżku i śpiącą kamiennym snem. Nie miał pojęcia, że dokądś wychodziła, dopóki więc bliżej się jej nie przyjrzał, czuł ulgę, że przynajmniej śpi. Dostrzegł jednak zaraz, że twarz ma szarą, wargi bladosine, a całkiem się przeraził, kiedy zbadał jej tętno. Spróbował ją obudzić, ale okazało się to niemożliwe. Ona nie śpi, uzmysłowił sobie, jest nieprzytomna. Powodowany instynktem czy może nawykiem lekarskim, odrzucił kołdrę i zobaczył, że dziewczyna leży w kałuży krwi. Krwawiła przez kilka godzin.

Tym razem nie wahał się ani chwili. Wysłał któregoś z tancerzy po ambulans, a sam ze zgrozą zaczął rozbierać Daninę. Była bardzo bliska śmierci; nie miał pojęcia, ile już krwi straciła, to jednak, co zobaczył, było straszne. Szmaty między jej nogami powiedziały mu wszystko.

– O Boże... och... Danino...

Nie miał możliwości zatamować krwotoku. Konieczna była operacja, choć może nawet chirurg nie będzie mógł jej uratować. Madame Markowa, kiedy tylko usłyszała wiadomość, biegiem rzuciła się do pokoju Daniny. Scena, którą zastała w małej sypialence, powiedziała jej wszystko. Nikołaj siedział przy dziewczynie, ściskając jej rękę, a łzy toczyły mu się po twarzy. Widok jego rozpaczy wzruszył nawet Madame. Kiedy jednak przełożona przekroczyła próg pokoju, smutek i poczucie bezradności Nikołaja gwałtownie obróciły się w gniew.

– Kto jej na to pozwolił? – zapytał ostro. – Czy to za pani wiedzą?

Ton jego głosu był zarazem oskarżycielski, żałosny i pełen wściekłości.

– Nic nie wiedziałam – odpowiedziała Madame gniewnie. – Zapewne nawet mniej niż pan. Musiała wyjść, kiedy byliśmy w cerkwi – dodała z przygnębieniem, drżąc o życie Daniny.

– Jak dawno temu?

– Ze cztery albo pięć godzin.

– Mój Boże... czy pani nie rozumie, że to mogło ją zabić?

– Oczywiście, rozumiem.

Gotowi byli skoczyć sobie do gardeł, przerażeni stanem dziewczyny, którą oboje kochali. Na szczęście ambulans przybył szybko i zabrał chorą do szpitala, dobrze znanego Nikołajowi. Podał tam garść informacji o tym, co zaszło. Przed operacją dziewczyna ani na chwilę nie odzyskała przytomności, minęły zaś dwie godziny, zanim pojawił się chirurg, żeby porozmawiać z Nikołajem i madame Markową. Oboje siedzieli w milczeniu w pustej poczekalni, patrząc na siebie.

– Co z nią? – Nikołaj zapytał szybko, a Madame tylko słuchała. Chirurg był daleki od entuzjazmu. Niewiele brakowało do nieszczęścia.

– Jeżeli przeżyje – oświadczył z namaszczeniem – będzie jeszcze mogła mieć dzieci. Tego jestem pewien. Rokowania jednak nadal są niepewne. Straciła bardzo dużo krwi, a ktokolwiek dokonywał tego zabiegu, musiał być rzeźnikiem.

W terminach medycznych opisał sytuację Nikołajowi. Nie mówiąc o krwawieniu, które nie dawało się powstrzymać mimo wszelkich podjętych działań, śmiertelnie obawiano się zakażenia.

– Nie będzie łatwo – objaśnił chirurg Madame. – Chora musi pozostać tutaj przez kilka tygodni, może dłużej, jeśli w ogóle przeżyje. Będziemy wiedzieli więcej jutro rano, jeżeli przetrwa noc. Na razie zrobiliśmy, co w naszej mocy, żeby jej pomóc.

Madame płakała cicho.

– Czy mogę ją zobaczyć? – zapytał Nikołaj z uszanowaniem, przerażony tym, co powiedział chirurg. Nie dał im przecież żadnej pewności, że dziewczyna przeżyje.

– Nic pan teraz nie może dla niej zrobić – odparł lekarz. – Nadal jest nieprzytomna i to potrwa.

– Chciałbym tam być, kiedy się ocknie – powiedział cicho Nikołaj, zaszokowany i tym, co się stało, i tym, że o niczym nie wiedział, i że nie miał możności jej powstrzymać. Mieli jakoś razem sobie z tym poradzić. Głowił się nad tym przez całą noc, przeglądając w myślach kolejne rozstrzygnięcia. Nie musiała narażać życia, żeby rozwiązać ten problem. Wszystko dałoby się ułożyć, tak w każdym razie sądził.

Wpuszczono go na salę pooperacyjną. Dziewczyna nadal wydawała się szara. Usiadł przy niej cicho i łagodnie zamknął jej dłoń w swojej. Trzymał ją tak, a łzy płynęły mu z oczu. Myślał o chwilach, które spędzili razem, i o tym, jak bardzo ją kocha. Gotów byłby zabić tego, kto jej to zrobił. A w poczekalni Madame siedziała zdruzgotana i cierpiąca. Targały nią te same uczucia, co nim, ale nie byli sobie nawzajem oparciem. Mistrzyni i kochanek Daniny zagubili się we własnych myślach i we własnych światach, podczas gdy ona walczyła o życie.

Była już niemal północ, kiedy poruszyła się wreszcie z żałosnym jękiem. Wargi miała wysuszone, z trudem mogła odemknąć powieki, kiedy jednak obróciła głowę na poduszce, dostrzegła Nikołaja i szloch chwycił ją za gardło na mgliste wspomnienie o tym, co się stało i co uczyniła ich wspólnemu dziecku.

– Och, Danino... Przepraszam...

Płakał jak dziecko, trzymając ją w ramionach i błagając, by mu przebaczyła, że wpędził ją w tę sytuację. Nie czynił jej nawet wyrzutów o to, co zrobiła. Za późno było na to, a ona i tak zapłaciła wysoką cenę.

– Jak to się mogło stać? Dlaczego mi nie powiedziałaś, że chcesz to zrobić?...

– Wiedziałam... że nigdy... nie pozwolisz... Przepraszam – wyjąkała z płaczem.

Płakali oboje, nad sobą wzajemnie i nad swoim nienarodzonym dzieckiem. Teraz jednak Nikołaj marzył tylko o tym, żeby Danina wróciła do zdrowia. Dość mu było spojrzeć na nią, a już wiedział, że dużo czasu minie, zanim odzyska siły po wszystkim, co przeszła. Rano jednak, kiedy chirurg orzekł, że dziewczyna da sobie radę, Nikołaj walczył ze łzami ulgi. Przez szacunek wyszedł do poczekalni i powiadomił madame Markową, która rozpłakała się, ale opuściła szpital, nie zaglądając do Daniny. Chirurg orzekł, że dziewczyna jest nadal zbyt chora, żeby przyjmować odwiedziny, a Nikołaj się z nim zgodził.

Do wieczora nie odstępował jej ani na krok, wtedy dopiero pojechał do domu, żeby się przebrać, upewnić co do stanu Aleksego i przekonać, czy doktor Botkin nadal może go zastępować. Wyjaśnił, że jego przyjaciółka leży poważnie chora w szpitalu, a on powinien być przy niej. Chociaż kolega nie zadawał żadnych pytań, świetnie wiedział, o kim mowa.

– Wyjdzie z tego? – zagadnął delikatnie doktor Botkin, wstrząśnięty widokiem wymizerowanej twarzy i udręką w oczach Nikołaja. Dla niego, pełnego trwogi o dziewczynę, była to także noc męczarni.

– Mam nadzieję – odpowiedział cicho Nikołaj.

Późnym wieczorem wrócił i znowu przesiedział przy łóżku Daniny całą noc bez chwili snu. Odzyskiwała i traciła na przemian świadomość, bredziła, zwracała się do ludzi, których nie mógł widzieć, wykrzyknęła też parę razy jego imię, błagając, żeby jej pomógł. Serce mu pękało, kiedy tak czuwał przy niej, siedział jednak spokojnie, trzymając jej rękę, myśląc o przyszłości, jaka ich czeka, i o dzieciach, które, marzyło mu się, będą jeszcze mieli. Minęły dwa dni, aż krwawienie całkowicie ustało. Dziewczyna była nadal zbyt słaba, żeby usiąść. Nikołaj jak pielęgniarka podawał jej łyżeczką zupę i kleik. Sypiał na kozetce koło jej łóżka. Widząc, że chora ma się nieco lepiej, sam zaryzykował wreszcie chwilę drzemki. Był doszczętnie wyczerpany, ale uszczęśliwiony, że Danina przeżyła.

– Jak się dzisiaj czujesz? – zapytał delikatnie, patrząc na czarne podkowy pod jej oczami. Nadal jej cera wydawała się popielata.

– Troszkę lepiej – skłamała. Nie mogła sobie przypomnieć, żeby którakolwiek z dziewcząt była tak chora w podobnej sytuacji, chociaż nieraz się słyszało o kobietach, które z tego powodu zmarły. Sama przecież nie rozumiała dobrze, na co się naraża. A jeśli nawet, i tak by to zrobiła. Nie miała żadnego, ale to żadnego wyboru, czuła to, i nawet teraz, kiedy Nikołaj był przy niej, wiedziała, że nigdy nie będą mogli mieć dziecka. To by zniszczyło wszystko, jego życie, jego karierę. W ich życiu nie było miejsca na dziecinny pokoik. Z trudem wystarczało miejsca na pokój dla nich dwojga, chociaż tak bardzo kochała Nikołaja. Pisane im było życie złożone z kradzionych chwil i pożyczanego czasu, pełne tylko nadziei na przyszłość. W takim życiu nie zmieści się dziecko.

– Chcę, żebyś wróciła ze mną do Carskiego Sioła – powiedział, kiedy znowu przymknęła powieki. Wiedział, że tym razem go słyszy. Otworzyła oczy. – Zamieszkasz znowu w pawilonie. Nikt nie musi wiedzieć, na co jesteś chora i co się stało.

I on jednak miał świadomość, że Danina przez długi czas będzie zbyt słaba, żeby się stąd ruszyć, nadal zresztą istniało ryzyko zakażenia, które mogło mieć wprost tragiczne następstwa. Nikołaj doglądał jej, jak mógł, pospołu z chirurgiem.

– Nie mogę znowu tego zrobić. Nie mogę się narzucać cesarzowej – odparła łamiącym się głosem, chociaż marzyła o tym, żeby być z nim, jak wtedy w Liwadii. Uwielbiała rozkosz wspólnego z nim mieszkania. Nie mogła znowu na czas rekonwalescencji porzucić baletu. Wiedziała, że tym razem Madame nie przyjmie jej z powrotem ani nie wybaczy, że ich opuściła, wszystko jedno, zdrowa czy chora. Danina zapłaciła już słono za swoją poprzednią rekonwalescencję, a balet był jej potrzebny. Nikołaj nie może jej pomóc, nie jest wolny, nie może więc jej poślubić ani się nią zaopiekować, ani nawet zapewnić jej utrzymania. Danina musi polegać na sobie.

– Nie możesz przez jakiś czas wrócić do tańca – powiedział troskliwie. Zdecydował się wyznać jej, co obmyślił. – Chcę, żebyś się nad czymś zastanowiła. Rozważyłem tysiąc sposobów rozwiązania naszego problemu, odkąd tutaj leżysz. Nie możemy dalej tak postępować. Marie nigdy się nie ugnie. Gdybym miał dla ciebie nabyć dom, zajęłoby to lata, a madame Markowa nigdy nie zwolni cię z zespołu. Chcę być z tobą, Danino. Chcę, żebyśmy mieli wspólne życie, z dala od tego wszystkiego, od tych wszystkich ludzi, którzy chcą nas rozdzielić. Chcę prawdziwego życia z tobą razem, daleko stąd, gdzie moglibyśmy zacząć od nowa. Nie możemy się pobrać, ale nikt o tym nie musi wiedzieć. – I dodał nieśmiało: – Gdzie indziej moglibyśmy nawet mieć dzieci.

Wyraz smutku przebiegł po jej twarzy przy tych słowach. Nikołaj ścisnął jej dłoń. Oboje pomyśleli o stracie, którą właśnie ponieśli.

– Nie ma takiego miejsca, gdzie moglibyśmy zacząć od nowa. Dokąd mamy wyjechać? Z czego się utrzymamy? Jeżeli Madame zechce mnie zdyskredytować, żaden inny zespół baletowy mnie nie przyjmie.

Miała na myśli Moskwę i inne miasta w Rosji, on jednak myślał o czym innym. Snuł znacznie śmielsze plany.

– Mam kuzyna w Ameryce. To miejsce nazywa się Vermont. Leży na północnym wschodzie Stanów Zjednoczonych. Kuzyn twierdzi, że te strony z wyglądu bardzo przypominają Rosję. Mam dosyć oszczędności, żeby opłacić nasze tam przenosiny. Z początku zamieszkalibyśmy u niego. Znajdę pracę, a ty przecież możesz gdzieś uczyć tańca.

Wiedziała, że Nikołaj dzięki żonie świetnie zna angielski. Ona jednak nie mówiła w tym języku. Nie mogła sobie wyobrazić życia w świecie tak odległym, a sama myśl o tym wydawała się jej obca i zatrważająca.

– Jak mamy to zrobić, Nikołaju? Czy mógłbyś tam być lekarzem? – zapytała, oszołomiona propozycją objechania wraz z nim połowy globu.

– Ostatecznie tak – odparł ostrożnie. – Musiałbym w Ameryce wrócić na studia. To by wymagało czasu. Na razie mógłbym robić coś innego.

Ale co, zadała sobie pytanie. Odgarniać śnieg? Sprzątać stajnie? Czyścić konie? Położenie wydawało się jej beznadziejne. Z pewnością nie ma baletu w tym Vermoncie, gdziekolwiek to miejsce leży, i tego już jej wystarczy. Kogo miałaby uczyć? Kto ich w ogóle przyjmie do pracy? Jak się tam urządzą?

– Musisz mi pozwolić to dla nas załatwić. To nasza jedyna nadzieja, Danino. Nie możemy tu zostać.

Wyjazd jednak wymagał tylu zdrad, porzucenia dzieci i żony, cara i jego rodziny, tak dla Nikołaja łaskawych, porzucenia madame Markowej i baletu w Teatrze Maryjskim, który był jedynym domem Daniny, jaki znała od lat dziecięcych. Oddała temu zespołowi wszystko – swoje życie, duszę, serce, ciało, a w zamian za to balet dał jej życie, jedyne, jakie zna. Cóż miałaby robić w tym jakimś Vermoncie? A co będzie, jeśli Nikołaj zmęczy się nią i tam ją porzuci? Po raz pierwszy przyszło jej to do głowy, ale bardzo się przestraszyła. Znać to było po jej oczach, kiedy spojrzenia ich się spotkały. Mógł w tych oczach bez trudu wyczytać wszystkie jej obawy.

– Nie wiem... To tak daleko... a jeżeli twój kuzyn nie zechce nas przyjąć?

– Zechce. To miły człowiek. Jest starszy ode mnie, to wdowiec, bezdzietny. Od lat zaprasza, żebym go odwiedził. Jeżeli go powiadomię, że potrzebujemy jego pomocy, na pewno nam jej udzieli. Ma duży dom i jest zamożny. Ma własny bank, a mieszka samotnie. Przyjmie nas z otwartymi ramionami. Danino, to nasza jedyna nadzieja na wspólną przyszłość. Musimy gdzieś zacząć od nowa i zapomnieć o tym wszystkim, co znamy tutaj.

Im mocniej jednak pragnęła być z nim, tym mniej wierzyła, że to w ogóle możliwe.

– Musisz to teraz rozważyć. Nabieraj zdrowia i wracaj do sił, a potem wrócimy do tej rozmowy. Tymczasem napiszę do niego i zobaczymy, co powie.

– Nikołaju, nikt nam tego nigdy nie wybaczy.

Sama myśl o tym napełniała ją zgrozą i smutkiem.

– A jeżeli zostaniemy tutaj? Co nas czeka? Chwile kradzione ukradkiem, parę tygodni w roku, kiedy jej cesarska mość zaprosi cię do Liwadii czy do Carskiego Sioła? Chcę dzielić z tobą życie. Chcę budzić się przy tobie co rano, być przy tobie, kiedy chorujesz... Nie chcę, żeby kiedykolwiek zdarzyło ci się coś takiego jak teraz... Chcę, żebyśmy mieli dzieci, Danino.

Ona także pragnęła takiego życia, ale żeby zyskać wolność, każde z nich musiałoby zadać ból wszystkim, których kocha.

– A co z moim ojcem i braćmi?

Ona ma tutaj rodzinę, historię, życie. Nie może odwrócić się od tego wszystkiego dlatego, że go kocha. A jednak on chce tak postąpić ze względu na nią, a ma przecież nie mniej do stracenia niż ona. Musi porzucić dzieci, żonę, własną karierę, żeby być z nią, z Daniną.

– Mówiłaś, że nigdy nie widujesz się z rodziną – przypomniał. Od blisko dwóch lat ojciec i bracia byli na froncie.

– Cieszyliby się, że ci się układa. – Robił wszystko, żeby ją przekonać: – Nie możesz tańczyć wiecznie, Danino.

Kiedy jednak to mówił, jej przypominały się słowa Madame.

– Mogę później uczyć tańca jak Madame.

– Możesz go uczyć w Vermoncie. Może nawet założysz własną szkołę. Pomogę ci.

Wydawał się taki pewny swego i taki silny.

– Muszę się nad tym, zastanowić – powiedziała, wyczerpana perspektywą tak niecodziennej decyzji i wszystkich dalszych jej następstw.

– Teraz odpocznij. Pomówimy o tym później.

Skinęła głową i znowu zapadła w sen, męczyły ją jednak koszmarne wizje jakichś strasznych, nieznanych miejsc. Śniło się jej, że traci tam Nikołaja, że szukając go, błąka się ulicami i nigdzie nie może go znaleźć, a kiedy się obudziła, Nikołaja nie było, rozpłakała się więc w poczuciu samotności. Zostawił jej liścik, że jedzie skontrolować stan zdrowia Aleksego, a wróci do niej rano. Przeczytała karteczkę i zamyśliła się.

Pozostała w szpitalu przez dwa tygodnie, a kiedy ją wypisywano, doktor polecił jej pozostać w łóżku przez dwa następne. Nikołaj chciał, żeby zatrzymała się wraz z nim w pawilonie w Carskim Siole, ale madame Markowa gwałtownie się temu sprzeciwiła. Chciała, żeby Danina wróciła do bursy baletu, a podróż do Carskiego Sioła uważała za zbyt daleką. Tym razem Danina nie miała dość energii, żeby z nią walczyć. Przełożona niezłomnie postanowiła nie wypuszczać więcej Daniny z rąk. Nie życzyła sobie, żeby jej uczennica spędziła kolejne cztery miesiące „rekonwalescencji" w willi z kochankiem. Tym razem była tak nieprzejednana, że wobec jej twardych warunków Danina wróciła do baletu.

Jak wówczas, kiedy ją poznał w chorobie, Nikołaj zaglądał do niej codziennie i pozostawał przy niej jak najdłużej, co najmniej przez kilka godzin, zanim wrócił na swój dyżur. Leżała w łóżku, a on siedział obok w jej sypialni. Kiedy zaś spacerowali powoli po małym ogródku, rozmawiał z nią o Vermoncie i o swoim tamtejszym kuzynie. Był przekonany, że to jedyne rozwiązanie, i chciał wyjechać z Daniną jak najszybciej, kiedy tylko oboje będą mogli się stąd ruszyć. Proponował wczesne lato, już za parę miesięcy.

– Będzie już po twoim sezonie. Zakończysz pracę. Musimy wybrać moment i dobrnąć do końca. Nigdy nie nadejdzie ta najlepsza chwila, żeby odejść, musimy wybrać taką, kiedy to po prostu będzie możliwe.

Danina właśnie skończyła dwadzieścia dwa lata, a on w tym roku miał skończyć czterdzieści jeden, wiek odpowiedni, żeby zacząć wspólnie nowe życie w Ameryce, jak tyle innych osób przed nimi, niektóre z równie skomplikowanych jak oni powodów.

Obiecała o tym pomyśleć i myślała bez przerwy. Wszystko, co na razie przychodziło jej na myśl, to groza przenosin do Vermontu. Madame wyczuwała wyraźnie, że coś się dzieje z dziewczyną. Danina nadal była zmęczona i blada, a po wizytach Nikołaja wyglądała na głęboko nieszczęśliwą. Prosił ją, żeby porzuciła dla niego wszystko, żeby podążyła za nim na koniec świata i zaufała mu bez reszty. Bez względu na jej miłość, była to sprawa nader wątpliwa.

– Masz jakieś zmartwienie, Danino – odezwała się ostrożnie Madame, składając dziewczynie wizytę któregoś popołudnia. Przysiadła na łóżku obok rekonwalescentki. Nikołaj właśnie wyszedł. Rozmawiali jak zwykle o tym samym. Ich przyszłość. Vermont. Jego kuzyn. Wyjazd z Rosji. I balet.

– Prosi cię, żebyś od nas odeszła, prawda? – zapytała domyślnie Madame, a Danina nie odpowiedziała. Nie chciała kłamać, ale też nie miała ochoty wyznać prawdy.

– Zawsze tak bywa. Zakochują się w tobie, tej, którą jesteś, a potem chcą ci odebrać ciebie samą. Daję ci słowo, Danino, jeżeli od nas odejdziesz, to cię zabije. Będziesz nikim.

Jeżeli któregoś dnia porzuci cię dla kogoś bardziej urzeka-
jącego, a może nawet młodszego, przez całe życie będziesz
żałować tej cząstki serca, którą zostawiłaś tutaj.

Brzmiało to jak wyrok śmierci i było nim w pewnym
sensie. Zarazem jednak była to zmiana, której Danina rozpaczliwie pragnęła. Byłby to koniec życia tancerki, ale początek jej wspólnego życia z Nikołajem, prawdziwego życia
z nim razem, a tego także pragnęła. Żeby to jednak osiągnąć, musi poświęcić wszystko, co ma, tak samo jak on.

– Jeżeli on naprawdę cię kocha, Danino, nie powinien
cię prosić, żebyś od nas odeszła.

– A jeżeli tu pozostanę, co będę miała bez niego, kiedy
się zestarzeję?

– Wspomnienie o życiu, z którego będziesz dumna.
Nikt nigdy nie zdoła ci tego odebrać. Zamiast hańby, a on
tylko tyle może ci dać. Jest żonaty, a żona go nie puści.
Zawsze będziesz jego metresą, tancereczką z baletu, z którą sypia, niczym więcej.

Łączyło ich jednak znacznie więcej, nawet teraz. Danina
o tym wiedziała.

– Przedstawia to pani w bardzo niesmaczny sposób,
a nie tak to wygląda – powiedziała ze smutkiem.

– Te sprawy zawsze właśnie tak wyglądają. Nad wyraz
romantycznie na początku. Marzenie, które wydaje się osią-
galne. A kiedy pewnego dnia się budzisz, okazuje się, że
ten słodki sen to koszmar. Jedyne życie, które kiedykolwiek
będzie miało dla ciebie znaczenie, jest tutaj. Włożyłaś w to
życie dużo ciężkiej pracy i dużo ćwiczeń. I co, rzucisz to
wszystko dla mężczyzny, który nawet nie może się z tobą
ożenić? Popatrz, co już ci się przydarzyło. Jakież to było
piękne! Jakie romantyczne!

Były to okrutne słowa, a słuchając ich, Danina traciła
odwagę. A jeżeli Madame ma rację? Jeżeli któregoś dnia
Nikołaj ją porzuci, jeżeli będzie przez całe życie żałowała
baletu, nienawidziła Vermontu, jeżeli nie będą ze sobą
szczęśliwi? Kto odpowie na te pytania? W jego planach

nie było nic pewnego, same obietnice, nadzieje, marzenia i życzenia. Tyleż jej, ile jego. A jednak on chce dla niej porzucić medycynę, bezpieczne życie, które od piętnastu lat dzieli z własną rodziną. Chce wszystko poświęcić dla niej. Dlaczego nie miałaby zrobić tego samego dla niego? – Musisz to bardzo starannie przemyśleć – przestrzegła ją Madame – i podjąć właściwą decyzję.

W jej pojęciu właściwą decyzją było pozostać w balecie i zapomnieć o Nikołaju, Danina jednak wiedziała, że tak postąpić nie zdoła. Odejście z baletu mogło zniszczyć jej życie, ale zerwanie z Nikołajem chybaby ją zabiło. W trakcie tych rozmyślań poczuła pod bluzką dotyk medalionu. To przyniosło jej ulgę. Bardzo kocha Nikołaja. Może nawet wystarczająco mocno, żeby zaryzykować wszystko i podążyć za nim. Na razie może tylko zastanawiać się nad tym i wnikać w swoje serce.

Madame wyszła, zostawiając ją na pastwę własnych myśli. Posiała ziarno w nadziei, że wzejdzie i wyda pożądany plon. Chciała, żeby Danina odczuła, co straci, czym grozi jej odejście z baletu do życia pogrążonego być może w żalu i smutku. Naturalnie było się nad czym zadumać. To było jedyne życie, jakie madame Markowa znała, jedyne, jakiego kiedykolwiek pragnęła, to była spuścizna, którą chciała teraz ofiarować Daninie, symbol wtajemniczenia, berło przekazywane z ręki do ręki przez mistrza adeptowi, który sam staje się mistrzem i przekazuje je dalej, bez końca, niemal jak śluby zakonne, składane przy przystąpieniu do zespołu, miłość zbyt głęboka, by miała w końcu zniknąć, bezgraniczne poświęcenie. Pozostać tutaj oznaczało wyrzec się wszelkiej nadziei na wspólną przyszłość z Nikołajem. Wyrzec się wszelkiej nadziei. Ale wyjazd wraz z nim z Rosji oznaczał wyrzeczenie się na zawsze siebie samej. Okropny wybór, a którąkolwiek drogę się wybierze, będzie ona wymagała ofiar, o których sama myśl wydaje się niemal męką. Wszystko więc, co Danina może teraz czynić, to modlić się o nadejście właściwej odpowiedzi.

Rozdział ósmy

Danina nie tańczyła przez miesiąc, a ćwiczenia podjęła na nowo pierwszego kwietnia. Na dworze leżał jeszcze śnieg, a ona znowu musiała pracować ciężej, żeby nadrobić to, co straciła, tym razem jednak powrót do pełni sił był szybszy. Była teraz mocniejsza i zdrowsza.

W tydzień później wróciła do prób, a do występów na początku maja. Minął już rok, odkąd rozstała się z Nikołajem po długim, sielankowym pobycie w gościnnym carskim domku, w którym odbywała rekonwalescencję po influency. Po roku niewiele się między nimi zmieniło. Nadal kochali się gorąco, on nadal był żonaty i mieszkał z żoną i dziećmi, ona nadal była w balecie. Nie byli bliżsi rozwiązania swoich problemów niż przed rokiem. Marie Obrażenska uparła się nie dać mężowi rozwodu. A przez ubiegły rok kochankowie zaoszczędzili bardzo mało pieniędzy na wspólną przyszłość. Mieli pewność tylko co do tego, że nadal pragną żyć razem. Walczyli o to, ustawicznie borykając się z przeszkodami. Danina nie mogła się zdecydować, żeby połączyć się z nim w Vermoncie. Za wielka to zmiana, za dalekie, nieznane strony, zbyt obce. Nikołaj zaś nadal jak najłagodniej badał ją i namawiał.

W czerwcu zachorowała jedna z wielkich księżniczek, obaj cesarscy lekarze mieli więc pełne ręce roboty. Nikołajowi nie starczało czasu na wizyty u Daniny. Chciał, ale nie mógł się ruszyć z pałacu, a ona to rozumiała. Na początku czerwca przeżyła kolejną tragedię, kiedy jej najstarszy brat zginął pod Czerniowcami. Straciła już dwóch, a z listu ojca wiedziała, że ten odchodzi od zmysłów po śmierci syna. Był z nim razem pod ostrzałem i cudem ocalał, ale jego pierworodny zginął na miejscu. Danina ciężko przyjęła tę wiadomość, całymi tygodniami czuła się później pusta i martwa. Wojna zbierała żniwo wśród nich wszystkich, nawet w balecie. Tancerki traciły braci, narzeczonych, ojców, a jedna z nauczycielek straciła w kwietniu obu synów. Nawet w ich klasztornym światku nie sposób było dłużej ignorować wojny.

Jedyną rzeczą, której Danina z nadzieją wyglądała w tym roku, były nowe wakacje z Nikołajem i rodziną cesarską w Liwadii. Tym razem Madame nie próbowała się sprzeciwiać. Podczas ostatniej choroby Daniny zawarła z Nikołajem trudny rozejm. Wiedziała, że najchętniej wykradłby jej dziewczynę, ale młoda primabalerina nie zdradzała najmniejszego zamiaru ucieczki czy porzucenia dla niego baletu. Madame Markowa miała teraz pewność, że Danina nigdy nie będzie w stanie zmusić się do odejścia. Obecnie, jak zawsze zresztą dla samej Madame, balet był życiem Daniny.

Tego roku cara nie było w Liwadii, znajdował się z armią w Mohylewie i czuł się w obowiązku tam pozostać. Do Liwadii pojechały więc same kobiety z dziećmi i z dwoma lekarzami oraz Danina. Cesarzowa i księżniczki pozwoliły sobie na krótki urlop od pielęgnowania żołnierzy. Cieszyły się, że znowu znajdą się nad morzem. Łączyła ich teraz wszystkich stara przyjaźń, a Danina i Nikołaj byli szczęśliwsi niż kiedykolwiek. Dla obojga były to rajskie godziny, bajeczna chwila poza czasem, obwarowana przed tak na pozór odległym groźnym światem. Liwadia chroniła ich przed rzeczywistością, która pochłonęła już wszystko wokół.

Każdego popołudnia urządzali sobie piknik, wybierali

się na długie spacery, pływali łodzią albo kąpali się w morzu. Danina znowu czuła się jak dziecko, grając z Aleksym w stare gry rodzinne. Tego roku jego zdrowie szwankowało, nie wyglądał więc najlepiej, ale w otoczeniu rodziny i ludzi, których lubił, wydawał się zadowolony.

Nikołaj próbował porozmawiać z Daniną o Vermoncie, udzieliła mu jednak wymijającej odpowiedzi. Tańczyła ważne partie we wszystkich spektaklach, które tego roku wystawiano. Madame Markowa dobrze wiedziała, jak ją zatrzymać w Petersburgu. Danina i Nikołaj zgodzili się wreszcie nie wracać do sprawy Vermontu przed Bożym Narodzeniem, a przynajmniej przed końcem pierwszego półrocza jej sezonu. Nikołajowi trudno było przystać na tę umowę, zrobił to jednak ze względu na nią.

To, że nie wyjechał, okazało się błogosławieństwem, kiedy jego młodszy syn zapadł we wrześniu na tyfus i był bliski śmierci. Ocalenie zawdzięczał Nikołajowi i doktorowi Botkinowi. Danina była przerażona chorobą chłopca. Słała do ukochanego list za listem, niepokojąc się o dziecko i współczując Nikołajowi. Wiedziała, jak bardzo kocha dzieci. Byłaby to tragedia, mówiła sobie, gdyby chłopiec zachorował akurat podczas ich pobytu w Vermoncie. Nikołaj nigdy by sobie ani jej tego nie wybaczył i zawsze by się o to winił. Tym bardziej umocniło ją to w przekonaniu, że ich wyjazd do Ameryki byłby błędem. Zbyt wiele osób tutaj kochali, zbyt wielu obowiązków nie dawało się zapomnieć czy pominąć.

Mimo ubiegłorocznej choroby jej kunszt jeszcze bardziej się udoskonalił. O każdym jej występie ludzie rozprawiali całymi dniami, a jej nazwisko było głośne jak Rosja długa i szeroka. Uchodziła teraz za najlepszą z młodych rosyjskich baletnic. Nikołaj był niesłychanie z niej dumny i bardziej niż kiedykolwiek rozkochany. Gdy tylko mógł, przychodził na jej występy, a w listopadzie poznał jej ojca i jednego z braci. Pozostało ich tylko dwóch, a drugi ostatnio został ranny, wracał jednak do zdrowia w Moskwie.

Ojciec i brat Daniny nie mieli pojęcia, kim dla niej jest Nikołaj, ale wszyscy trzej wydawali się usatysfakcjonowani znajomością. Nikołaj na pożegnanie życzył im szczęścia i gratulował pułkownikowi tak wybitnie utalentowanej córki, a pułkownik promieniał dumą. Uważał za pewnik, że córka pozostanie tutaj na zawsze, nawet nie zaświtała mu myśl, że Danina zamierza kiedyś opuścić Petersburg.

A kiedy wreszcie nadeszły święta, Danina nie mogła się doczekać wyjazdu do Carskiego Sioła, żeby zamieszkać razem z Nikołajem w pawilonie, który zaczął się im wydawać nieomal ich własnością. Byłoby to takie proste, gdyby mogli tam osiąść i w ten sposób rozwiązać swój problem, niestety jednak tak nie było. Mogli tylko pobyć razem, kradnąc czas, przez parę dni albo tygodni, teraz czy później.

Wybrała się z nim do pałacu na wieczór wigilijny. Rodzina carska nie wydawała wielkich balów jak przed wojną, ale mimo to zaproszono około setki przyjaciół.

Danina świeciła jak jasna gwiazda w sukni, którą podarowała jej cesarzowa. Był to czerwony aksamit przybrany białymi gronostajami, a dziewczyna wyglądała w tym stroju tak majestatycznie jak sama cesarzowa. Goście wymieniali uwagi na temat jej urody, elegancji, talentu, wdzięku, a Nikołaj promieniał jak piękny książę, kiedy tak stał przy niej, trzymając jej rękę w swojej.

– Świetnie się dzisiaj bawiłam, a ty? – Uśmiechnęła się, kiedy po przyjęciu zajechali saniami do pawilonu. Nazajutrz znowu mieli przyjść na obiad do pałacu. Danina uwielbiała dzielić z Nikołajem takie życie. Czuła się niemal mu poślubiona, kiedy stała u jego boku na przyjęciu. Byli już związani ze sobą od blisko dwóch lat.

Nastrój wieczoru mąciły tylko małe grupki, w których rozmawiano na temat powtarzających się pogłosek o rewolucji. Wydawało się to absurdem, bo choć rozruchy wybuchały teraz w miastach regularnie, car wciąż nie zgadzał się na ich ukrócenie. Mówił, że ludzie mają prawo wyrażać swoje zdanie i że dobrze im zrobi, jak się wykrzyczą. Ostatnio jednak w Moskwie kilkakroć doszło do zamieszek, a wojsko było coraz bardziej zaniepokojone. Ojciec i brat wspominali o tym, kiedy ich ostatnim razem widziała. Danina rozmawiała o tym z Nikołajem, wracając do pawilonu. Przyznał, że też zaczyna się niepokoić.

– To chyba znacznie większy problem, niż się wydaje większości z nas – powiedział z troską. – Sądzę też, że car postępuje naiwnie, nie chcąc tego powstrzymać. A może nie jest w stanie. Ma tyle innych powodów do zmartwienia: wojna, potworne straty, jakie ponieśliśmy w Polsce i w Galicji – zamieszki w Moskwie wydają się więc nieistotne w porównaniu z wojną i jej ludzkimi kosztami.

– Idea rewolucji wydaje się tak skrajna – odparła cicho Danina. – Nie mogę sobie nawet wyobrazić tutaj czegoś takiego. Co by to miało znaczyć?

– Kto wie? Może niewiele. Pewnie nic. Paru malkontentów robi hałas. Mogą spalić kilka domów, ukraść kilka koni czy klejnotów, sprawić bogaczowi lanie, a potem wrócić do codzienności. Pewnie nic poważniejszego nie nastąpi. Rosja jest zbyt wielka i zbyt potężna na jakąś zmianę. Chociaż może to przez chwilę zatruć życie, a może też być niebezpieczne dla cara i jego rodziny. Na szczęście są pod dobrą ochroną.

– Jeżeli coś się wydarzy – poprosiła Danina, kiedy Nikołaj pomagał jej zdjąć suknię w sypialni – chciałabym, żebyś był ostrożny.

Zdawała sobie doskonale sprawę, że może to być niebezpieczne również dla niego.

– Istnieje proste rozwiązanie tego problemu – powrócił znowu do tematu Vermontu. Obiecał, że nie będzie jej o to nagabywał przed Bożym Narodzeniem, a właśnie ten termin nadszedł. Od września, kiedy po raz ostatni o tym rozmawiali, Nikołaj wiele rozmyślał o tej kwestii. Ciągle do tego nawiązywał i nie tracił nadziei, że zdoła przekonać Daninę do swojego planu.

– Jakie rozwiązanie? – zapytała z roztargnieniem, zdejmując kolczyki. Lubiła je, był to prezent od Nikołaja – perły otoczone drobnymi rubinami. Ślicznie wyglądały w jej uszach.

– Vermont – przypomniał. – W Ameryce nie wybuchają rewolucje. Nie grozi im żadna wojna. Będziemy tam szczęśliwi, Danino. Wiesz o tym.

Unikała tych rozmów pod byle pretekstem. Chciała wprawdzie być z nim, nigdy jednak nie czuła się gotowa do opuszczenia baletu ani do kroków tak desperackich jak cały ten projekt. Życie, które wiedli, nie było pozbawione wygód, a w końcu żona Nikołaja może kiedyś zgodzi się na rozwód.

– Może kiedyś – powiedziała z zadumą. Chciała się zdobyć na tyle odwagi, żeby z nim wyjechać, ale nie potrafiła wyobrazić sobie rozstania z tak dobrze znanym światem. Jednakowo ciągnęło ją w dwie przeciwne strony. W stronę Madame i baletu i w stronę Nikołaja wraz ze wszystkim, co jej obiecywał. Wspólne życie w nowym kraju i balet, a w nim jej obowiązki, jej powinności, jej życie.

– Mówiłaś, że porozmawiamy o tym na Boże Narodzenie – zauważył ze smutkiem. Zaczynał się obawiać, że Danina nigdy nie porzuci baletu i że ich dwojga nigdy nie będzie stać na coś więcej niż dotąd, chyba że jego żona umrze albo zmieni zamiary albo też on sam odziedziczy jakieś wielkie pieniądze, a żadna z tych perspektyw nie wydawała się realna. Tutaj Danina może być tylko jego kochanką, a mieszkać razem mogą najwyżej przez parę miesięcy w roku, chyba że dziewczyna odejdzie z baletu. Ale nawet wtedy nie będzie go stać na dom dla niej, oboje o tym wiedzą. Vermont był ich jedyną nadzieją na wspólne nowe życie. Od obojga wymagało to jednak poświęceń, a to właśnie napawało dziewczynę obawą przed podjęciem takiej decyzji.

– Po Trzech Królach znowu zaczynam próby – bąknęła wymijająco.

– A potem będziesz tańczyć bez przerwy, a potem znów będzie lato... a potem sezon jesienny, a ty znów będziesz występować w *Jeziorze łabędzim*... a potem znowu Boże Narodzenie. I tak oboje się zestarzejemy. – Patrzył na nią oczyma pełnymi smutku i tęsknoty. – Nigdy nie będziemy razem, jeżeli zostaniemy tutaj.

– Nie mogę jeszcze odejść, Nikołaju – powiedziała łagodnie. Była w nim rozkochana nie mniej, a może nawet bardziej niż on w niej, ale aż za dobrze rozumiała, o co ją prosi i ile ją to będzie kosztować. – Coś jestem im winna.

– Sobie jesteś winna jeszcze więcej, kochanie. I mnie. Nic im z ciebie nie przyjdzie, kiedy się zestarzejesz i nie będziesz już mogła tańczyć. Nikt się tam o ciebie nawet nie zatroszczy. Madame już nie będzie. Będziemy wtedy mogli polegać tylko na sobie. Ty na mnie, a ja na tobie.

– Ty na mnie tak – przyrzekła solennie. Słysząc to, porwał ją w ramiona, ubraną już tylko w wytworną jedwabną bieliznę z koronkowymi ozdobami, i zaniósł do łóżka, w którym po raz pierwszy się kochali. Nadal czerpali ze zbliżeń taką samą ogromną rozkosz. W krótkim udzielonym im czasie pędzili cudowne życie, w niczym nie przypominające tego, które on znał, a ona wyśniła w marzeniach.

– Może kiedyś znudzisz się mną – powiedziała później sennie, zwinąwszy się w kłębek w jego ramionach – jeżeli przez cały czas będziemy razem.

– O to się nie martw. – Uśmiechnął się i przesunął, żeby móc pocałować ją w ramię. Jej ciało było piękniejsze niż kiedykolwiek. – Nigdy się tobą nie znudzę, Danino. Wyjedź ze mną – wyszeptał znowu, a ona, zasypiając już, skinęła głową.

– Kiedyś wyjadę – szepnęła.

– Nie zwlekaj za długo, kochanie – ostrzegł. Świat, który ostatnio zaczął mu się wydawać groźny, napawał go lękiem. Chciał opuścić wraz z Daniną Rosję, zanim spotka ich coś złego. Trudno to było sobie wyobrazić, ale stać się mogło. Mówiło o tym wiele wysoko postawionych osób, chociaż sam car nie chciał tego uznać. Różni znajomi doktora byli jednak równie jak on zaniepokojeni. Nikołaj nie zamierzał zresztą straszyć Daniny, bardzo jednak chciał ją stąd wywieźć. Zanim będzie za późno, zanim zdarzy się nieszczęście. Bał się jednak powiedzieć jej za dużo. Jego obawy brzmiały głupio, a Danina poza baletem nie znała świata. Nic nie wiedziała o rzeczywistości, z dnia na dzień coraz bardziej zatrważającej.

Nazajutrz zgodnie z planem zjedli obiad w gronie rodziny cesarskiej. Danina uczyła Aleksego magicznej sztuczki, którą pokazał jej w balecie młody tancerz, gość z Paryża. Chłopiec był zachwycony. Było to długie, szczęśliwe popołudnie, błogie interludium w ich życiu. Spędzili razem przeszło dwa tygodnie. Zebrali się do powrotu dopiero w przeddzień wznowienia prób. Danina przestrzegała wprawdzie reżimu swoich codziennych ćwiczeń, ale rozpoczęcie sezonu poprzedzały zawsze długie dni prób, musiała więc wracać.

– Muszę wracać na ćwiczenia i rozgrzewki – wyjaśniła, pakując swoje bagaże ostatniego dnia. Bardzo nie chciała rozstawać się z Nikołajem, toteż ile tylko mogła, przeciągała ich wspólny pobyt w pawilonie. Z drugiej strony, przed przerwą świąteczną tak dobrze się jej tańczyło, że nie sądziła, by przed drugą połową sezonu potrzebowała więcej niż kilku dni pracy.

– Okropnie nie lubię się z tobą rozstawać – przyznała.

Spędzili potem resztę popołudnia w łóżku wśród pieszczot, przyrzeczeń i zwierzeń. Nigdy Danina nie była z nim szczęśliwsza i nigdy nie kochali się mocniej niż w owej chwili. Czuli się jak w bajce.

Kiedy wyjeżdżała nazajutrz, obiecał, że przyjdzie na jej najbliższy występ.

– Najpierw musimy poćwiczyć – przypomniała, całując go na pożegnanie przed wejściem do pociągu.

– Za parę dni zajrzę do ciebie.

– Będę czekała – przyrzekła.

Był to jeden z najszczęśliwszych okresów, jakie spędzili razem. Danina miała zamiar zwrócić się do Madame o pozwolenie na jeszcze jeden tygodniowy wyjazd z Nikołajem wiosną. Była pewna, że Madame wpadnie w furię, jeśli jednak ona przez następne trzy miesiące będzie tańczyć wystarczająco dobrze, dyrektorka być może się zgodzi. Jak dotąd była zadowolona, że Danina nie popełniła żadnego głupstwa czy szaleństwa, i właściwie miała już pewność, że dziewczyna nigdy nic takiego nie zrobi.

Pora na głupstwa najwyraźniej minęła. Madame wierzyła, że ci dwoje wreszcie znudzą się sobą. Zadowalało ich to, że pozwala Daninie widywać się z Nikołajem od czasu do czasu. Z czasem zapewne zmęczą się romansem, który prowadzi donikąd. Madame wiedziała, że balet ostatecznie weźmie górę w sercu Daniny. Tego była pewna.

Danina rozpoczęła ćwiczenia natychmiast po przyjeździe, a nazajutrz pracowały już od czwartej rano, przed próbą, która zaczynała się o siódmej. Przeszła porządną rozgrzewkę, była w świetnej formie, znała dobrze partię, do której rozpoczynała próby, nie musiała więc poświęcać jej zbyt wiele uwagi. Prawdę mówiąc, pozwoliła sobie nawet odegrać z kilkorgiem tancerzy małą scenkę. Błaznowali za plecami nauczycielki, wykonując zabawne podskoki i całkiem nowe kroki taneczne. Swoim piruetem, a potem zgrabnym *pas de deux* z jednym z partnerów Danina sprawiła, że patrzącym dech zaparło w piersiach. Dopiero późnym popołudniem zrobili przerwę obiadową. Do tego czasu przetańczyli blisko dziesięć godzin, co nie było zresztą niczym niezwykłym, Danina była więc nieco zmęczona. Kierując się do wyjścia, wykonała ostatni skok. Ktoś aż się zachłysnął, widząc, jak dziewczyna potyka się i pada z rozpędu na podłogę z jedną stopą wygiętą pod jakimś przerażającym kątem. W sali zapadła długa cisza. Wszyscy czekali, czy Danina się podniesie, leżała jednak, bardzo blada i bardzo nieruchoma, ze stopą dziwacznie wygiętą w kostce. Wszyscy naraz rzucili się ku niej, a nauczycielka przysiadła na podłodze, żeby sprawdzić, co się stało. Miała nadzieję, że to tylko paskudne zwichnięcie, tancerka będzie więc najwyżej bardzo obolała nazajutrz na porannej próbie. Ujrzała jednak stopę Daniny odgiętą pod prawie niemożliwym kątem i dziewczynę półprzytomną, w szoku.

– Natychmiast zanieście ją do łóżka – rozkazała ostrym tonem. Danina miała zaciśnięte zęby, śmiertelnie bladą twarz. Nikt nie mógł mieć wątpliwości, co się stało. Złamała, a nie skręciła nogę w kostce. Jeżeli tak, było to podzwonne dla primabaleriny, a faktycznie dla każdej tancerki. Nikt nie pisnął, nie rzekł ani słowa, ktoś tylko westchnął, kiedy wynoszono Daninę z sali. W chwilę później leżała na własnym łóżku, ubrana w trykoty, w ciepły sweter i wełniane getry. Nauczycielka bez słowa rozcięła jej trykot małym ostrym nożem, który nosiła przy sobie w takim właśnie jak teraz celu. Noga w kostce spuchła już jak balon, stopa nadal sterczała w bok pod tym samym okropnym kątem, a Danina wpatrywała się w nią z niemym przerażeniem. Rzeczywistość była zbyt straszna, żeby w nią uwierzyć.

– Wezwać doktora. Natychmiast! – zabrzmiał od progu głos madame Markowej. Mieli lekarza, do którego zwracano się w takich okolicznościach. Był znakomitym specjalistą ortopedą. Pomagał im od dawna, i to z dobrym rezultatem. Madame omal jednak serce nie pękło na widok tego, co zastała w pokoju. W jednej chwili, wskutek jednego szybkiego skoku, było po Daninie.

Doktor przybył przed upływem godziny i potwierdził najgorsze przypuszczenia. Noga w kostce była paskudnie złamana, dziewczynę należało przewieźć do szpitala. Złamanie wymagało operacji. Co do tego nie było dwóch zdań. Kiedy wynoszono Daninę z budynku, z tuzin osób pogłaskało ją po ręku. Wszyscy płakali, ale ona najbardziej. Aż za często widywała takie przypadki. Dokładnie zdawała sobie sprawę z tego, co się stało. Wszystko skończone, po piętnastu latach w tym świętym przybytku, po dwudziestu dwóch latach życia.

Operowano ją jeszcze tego samego wieczora, potem zaś ujęto całą nogę w potężny gipsowy pancerz. W wypadku kogokolwiek innego można by to uznać za pomyślne zakończenie. Noga będzie na powrót prosta, dziewczyna może tylko odrobinę utykać. W wypadku Daniny nie było to jednak dobre rokowanie. Noga w kostce była zgruchotana, jeśli więc nawet będzie mogła stąpać normalnie, nigdy już nie zdoła tańczyć tak jak dawniej. Noga nie utrzyma jej ciężaru przy ewolucjach tanecznych. Po prostu nie ma sposobu, żeby przywrócić jej konieczną giętkość i siłę. Żadne słowa nie pocieszyłyby Daniny. Jej kariera zakończyła się jednym małym, głupim skokiem. Nie tylko kostka, ale całe jej życie było złamane.

Leżała i płakała tej nocy prawie tak jak wtedy, gdy straciła dziecko. Tym razem straciła swoje własne życie. To była śmierć marzeń, finał, tragicznie nie licujący ze świetnym początkiem. A Madame, tym razem siedząc przy niej, sama powstrzymywała łzy. Los nie sprzyjał Daninie. Na nic się zdały jej wyrzeczenia, śluby, zobowiązania. Skończyło się życie baletnicy, życie, którym od piętnastu lat żyła, cieszyła się i gotowa była dlań umrzeć.

Nazajutrz przewieziono ją z powrotem do baletu. Leżała w pokoju, który dzieliła z innymi, a tancerze odwiedzali ją w pojedynkę i parami, przynosząc kwiaty, słowa, dobroć, smutek, nieomal żałobę po niej. Czuła się, jakby umarła i w pewnym sensie tak było. Życie, które znała i którego była nieodłączną częścią, dla niej już nie istniało. Czuła, że nie należy już do zespołu. To tylko kwestia czasu: trzeba będzie zebrać rzeczy i wyprowadzić się stąd. Danina jest za młoda, żeby zostać nauczycielką, wie zresztą, że nie byłaby w stanie. To nie dla niej. Dla niej nadszedł po prostu koniec. Śmierć marzeń.

Napisanie listu do Nikołaja zabrało jej dwa dni. Przyjechał natychmiast po odebraniu poczty, nie mogąc uwierzyć w to, co się stało, chociaż wszyscy tłumaczyli mu to szczegółowo. Tancerze z baletu znali go i lubili, toteż opowiadali mu w kółko, jak to Danina upadła i jak wyglądała, leżąc na podłodze.

Jej widok, leżącej ze smutkiem w oczach w gipsowym pancerzu, od razu jednak powiedział mu wszystko. Chociaż to wszystko było dla niego równie okropne jak dla niej, widział wszakże w tym promyk nadziei. Była to jej jedyna szansa na nowe życie. Gdyby nie to zdarzenie, nigdy nie zdecydowałaby się na wyjazd. Nikołaj wiedział jednak, że nie wolno mu o tym nawet napomknąć. Dziewczyna przeżywała głęboką żałobę po utraconej karierze.

Tym razem, kiedy Nikołaj uparł się, że zabierze Daninę ze sobą, madame Markowa nie stawiała przeszkód. Wiedziała, że dziewczynie milej będzie być poza baletem, przynajmniej przez pewien czas, niż nasłuchiwać dobrze znanych dzwonków, dźwięków, odgłosów ćwiczeń i prób. Danina nie należała już do tego świata. Może jeszcze powróci tutaj w jakimś innym charakterze, na razie jednak przez proste współczucie lepiej jej oszczędzić pobytu w szkole. Dla jej własnego dobra trzeba jak najszybciej pogrzebać przeszłość. Dwie trzecie jej życia, a w tym ta jedyna jego część, o którą troszczyła się przed poznaniem Nikołaja, właśnie dobiegły końca. Koniec z życiem baletnicy.

Rozdział dziewiąty

Danina z wielką ulgą powróciła na czas rekonwalescencji do pawilonu w Carskim Siole, a i Aleksandra Fiodorowna była zadowolona z jej widoku. Tym razem rekonwalescencja była powolna i bolesna. Kiedy zaś wreszcie po miesiącu z górą zdjęto gips, kostka wydawała się słaba i skurczona. Danina ledwie mogła stanąć na lewej nodze. Rozpłakała się, po raz pierwszy przechodząc przez pokój. Kuśtykanie tak dolegało, że całe jej ciało zdawało się przy tym skręcać. Zwinny ptaszek, którym dawniej była, połamał skrzydełka.

– Daję ci słowo, Danino, że to się poprawi – próbował dodać jej otuchy Nikołaj. – Musisz mi wierzyć. Będziesz tylko musiała nad tym ciężko popracować.

Zmierzył obie jej nogi i stwierdził, że nadal są tej samej długości, utykanie wynikało tylko ze słabości. Nigdy już nie będzie tańczyła, chodzić jednak będzie normalnie. A nikt goręcej tego nie pragnął niż cesarzowa i jej dzieci.

Kilka tygodni minęło, zanim Danina zdołała przejść przez pokój bez laski. Nadal jeszcze utykała, kiedy pod koniec lutego powiadomiono ją listem, że Madame jest chora. Miała łagodną postać zapalenia płuc, miewała już ją jednak i dawniej, Danina wiedziała więc aż za dobrze, jakie to może być groźne. Chociaż wciąż jeszcze niepewnie czuła się na nogach, uznała, że musi pojechać do chorej.

Bez laski chodziła tylko na krótkie dystanse, czuła jednak, że powinna wrócić do baletu, w każdym razie do chwili, kiedy Madame wydobrzeje po zapaleniu płuc. Starsza pani była słabsza, niż się mogło wydawać, Danina obawiała się więc o jej życie.

– Przynajmniej tyle mogę dla niej zrobić – przekonywała Nikołaja, ten jednak, mimo współczucia, nadal protestował. W Petersburgu i w Moskwie dochodziło do rozruchów, obawiał się więc puścić ją samą. A że Aleksy nie czuł się dobrze, Nikołaj nie mógł odwieźć Daniny do Petersburga.

– Nie bądź głuptasem, nic mi nie będzie – przekonywała, aż wreszcie po całym dniu sprzeczek zgodzili się ostatecznie, że pojedzie sama.

– Wrócę za parę tygodni – obiecała – kiedy tylko się przekonam, że Madame czuje się lepiej. Ona zrobiłaby i robiła dla mnie to samo.

Nikołaj rozumiał aż za dobrze siłę więzi łączącej obie kobiety, wiedział też, że Danina będzie się zadręczać, jeśli nie pojedzie do Madame.

Nazajutrz odwiózł ją na pociąg, przestrzegł, żeby uważała na siebie i nie forsowała się zanadto, wręczył jej laskę i przytulił dziewczynę, całując ją na pożegnanie. Nierad był, że odjeżdża, ale rozumiał to. Wymógł na niej obietnicę, że na dworcu weźmie dorożkę. Czuł się głupio, że nie może z nią pojechać. Dziwne mu się to zdawało po długim okresie, który ostatnio spędzili razem. Danina jednak zapewniała go, że da sobie radę.

Ku swojemu wielkiemu zaskoczeniu po przybyciu do Petersburga ujrzała na ulicach skłębiony tłum, krzyczący i manifestujący przeciwko carowi, a naokoło pełno żołnierzy. W Carskim Siole nic o tym nie słyszała, ze zdumieniem więc odkrywała w atmosferze miasta niezwykłe napięcie. W drodze do baletu wyrzuciła jednak z pamięci to wrażenie. Myślami była przy Madame. Miała nadzieję, że jej mistrzyni i stara przyjaciółka nie jest bardzo poważnie chora. Z przerażeniem stwierdziła jednak, że jest i że, jak to się już kiedyś zdarzyło, choroba bardzo ją osłabia i wyniszcza.

Danina siedziała przy Madame dzień w dzień, karmiła ją zupą i kleikiem, błagając, by jadła. Po tygodniu z ulgą dostrzegła niewielką poprawę, wydawało jej się jednak, że przez tych parę tygodni starszej pani przybyło lat. Sprawiała wrażenie ogromnie wątłej; Danina spoglądała na nią z obawą, trzymając ją za rękę.

Dni przy łóżku chorej leciały jeden za drugim. Kładąc się wieczorem do łóżka, Danina czuła nieopisane zmęczenie. Codzienna krzątanina sprawiła, że kostka znowu boleśnie opuchła. Dziewczyna sypiała na kozetce w biurze Madame, jej stare łóżko już dawno przypadło innej tancerce. Spała kamiennym snem rankiem 11 marca, kiedy tłumy zgromadziły się na ulicach nieopodal baletu. Obudziły ją krzyki i pierwsze wystrzały; zerwała się z posłania i zbiegła na dół, żeby sprawdzić, co się dzieje. Tancerze wylegli już z sal na długi korytarz, a kilkoro wyglądało przez okna, nic jednak nie zdołali dostrzec prócz paru żołnierzy, którzy przegalopowali konno przed wejściem. Nikt nie miał pojęcia, co się dzieje, aż później dowiedzieli się, że car rozkazał wreszcie wojsku stłumić zamieszki i zginęło ponad dwieście osób. Podpalono sądy, arsenał, Ministerstwo Spraw Wewnętrznych i ze dwadzieścia policyjnych cyrkułów. Tłum rozbił też więzienia.

Strzelanina ustała pod wieczór, a mimo alarmujących wydarzeń noc była względnie spokojna. Nazajutrz rano przyszła jednak wiadomość, że żołnierze odmówili wykonania rozkazu strzelania do tłumów. Zrejterowali i powrócili do swoich koszar. Rewolucja zaczęła się na dobre.

Paru tancerzy wypuściło się po południu na miasto, ale wrócili bardzo prędko i zabarykadowali wejście do budynku. Tutaj wszyscy byli bezpieczni, ale z zewnątrz dochodziły wieści mrożące krew w żyłach, z dnia na dzień coraz okropniejsze. Piętnastego marca dowiedzieli się, że car abdykował w imieniu własnym i zarazem Aleksego, na rzecz swego brata, wielkiego księcia Michała, i że w drodze powrotnej z frontu do Carskiego Sioła został aresztowany w pociągu. Nie sposób było pojąć, co się dzieje. Danina jak wszyscy nie rozumiała tego, co słyszy. Sprzeczne informacje zbijały ją z tropu.

Dopiero w tydzień później, dwudziestego drugiego marca, Danina odebrała wreszcie liścik, naprędce skreślony przez Nikołaja. Oddał go jej do rąk własnych jeden z żołnierzy straży pałacowej, któremu pozwolono wyjechać z Carskiego Sioła. „Jesteśmy w areszcie domowym – pisał po prostu Nikołaj – mam do rodziny cara swobodny dostęp, ale nie mogę stąd wyjechać. Wszystkie wielkie księżniczki mają odrę, cesarzowa okropnie martwi się o nie i o Aleksego. Pozostań tam, gdzie jesteś, tam będziesz bezpieczna, kochanie, a ja przyjadę, kiedy tylko zdołam. Obiecuję Ci, że już wkrótce będziemy razem. Pamiętaj zawsze, że Cię kocham nad życie. Nie wychodź na zewnątrz, dopóki jest tak groźnie. Przede wszystkim pozostań w bezpiecznym miejscu. Bardzo Cię kocham, Nikołaj".

Odczytywała ten list raz po raz, trzymając go w drżącej dłoni. To nie do wiary! Car abdykował, a jego rodzina przebywa w areszcie domowym. Nie sposób w to uwierzyć. Było jej okropnie wtyd, że ich opuściła. Chciałaby być przy nich w chwili niebezpieczeństwa. Jeżeli trzeba, umrzeć z nimi.

Nikołaj przyjechał wreszcie pod koniec marca. Był wyczerpany i niedbale ubrany. Przyjechał konno z samego Carskiego Sioła. Była to jedyna możliwa droga. Żołnierze strzegący rodziny carskiej zgodzili się go wypuścić, obiecując mu, że będzie mógł wrócić. Na jego twarzy malowała się jednak rozpacz, kiedy siedział obok Daniny w korytarzu za biurem madame Markowej i tłumaczył z przejęciem, że muszą najszybciej, jak się tylko da, opuścić Rosję.

– Nadchodzą straszne czasy. Nie mamy pojęcia, co się tutaj zdarzy. Przekonałem Marie, że musi zabrać chłopców i wrócić do Anglii. Wyjeżdżają w przyszłym tygodniu. Ona nadal jest poddaną brytyjską, pozwolą jej więc bezpiecznie wyjechać, dla nas jednak nie będą tak mili, jeżeli tutaj zostaniemy. Chcę zaczekać, aż dziewczęta wydobrzeją po odrze i aż się upewnię, że rodzina jest bezpieczna. Potem ruszymy do Ameryki, do mojego kuzyna Wiktora.

– Nie mogę w to uwierzyć. – Danina słuchała go ze zgrozą. Wydawało się, że w ciągu kilku tygodni cały jej świat legł w gruzach. – Jak oni się czują? Czy są bardzo przestraszeni?

Bardzo się o nich martwiła. Tyle przeżyli w ostatnim miesiącu. Nikołaj odrzekł z troską:

– Nie, wszyscy są niezwykle dzielni, a odkąd car wrócił, także bardzo spokojni. Straż zachowuje się całkiem przyzwoicie, tylko że rodzina carska nie może teraz opuszczać terenu.

– Co oni z nimi zrobią? – Oczy Daniny były pełne trwogi o los przyjaciół.

– Zapewne nic. Ale to był wielki wstrząs i smutny koniec. Mówi się o ich wyjeździe do Anglii, do ich tamtejszych kuzynów, ale najpierw trzeba to będzie długo negocjować. Jeżeli poczekają, będą mogli wyjechać do Liwadii. W takim wypadku odwiozę ich, a potem wrócę do ciebie. Załatwię nasz wyjazd do Ameryki jak najszybciej. Musisz się szykować, Danino.

Tym razem nie pora była na sprzeczki, dyskusje czy ważenie decyzji. Danina miała teraz pewność, że z nim wyjedzie. Zanim pożegnał ją tego wieczora, wsunął jej w rękę zwitek banknotów. Poprosił, żeby opłaciła ich podróż i załatwiła to w najbliższych tygodniach. Był pewien, że przez ten czas rodzina carska znajdzie wygodne lokum, on zaś będzie mógł ją opuścić i wyjechać z Daniną.

Ona jednak spoglądała za nim tej nocy z uczuciem grozy. A jeżeli coś mu się stanie? Dosiadając konia, obejrzał się i uśmiechnął do niej. Powiedział, żeby się nie martwiła, i zapewnił, że pozostając przy rodzinie carskiej, będzie nawet bezpieczniejszy niż ona. Odjechał galopem, a ona, ściskając pieniądze, które wetknął jej w rękę, czym prędzej wróciła w bezpieczne zacisze szkoły.

Długi, niespokojny miesiąc upłynął na wyczekiwaniu nowych wieści od Nikołaja i na próbach wywnioskowania czegoś z plotek, których pełno słyszało się na mieście z ust cywili i żołnierzy. Los cara nadal wydawał się niepewny, mówiło się, że pozostanie w Carskim Siole, wyjedzie do Liwadii albo do Anglii na zaprosznie swoich królewskich kuzynów. Plotkowano o tym ciągle, a dwa listy, które Danina otrzymała od Nikołaja, nie dodały nic do tego, co już wiedziała. Nawet w Carskim Siole nic nie było jasne ani pewne. Nikt nie wiedział, gdzie ani jak to wszystko się skończy.

Danina bardzo oszczędnie gospodarowała swoimi zasobami w oczekiwaniu dalszych wiadomości od Nikołaja, aż wreszcie z okropnym poczuciem winy sprzedała nefrytową żabkę, którą dał jej w prezencie Aleksy. Wiedziała, że jeśli znajdą się w Vermoncie, będą potrzebowali pieniędzy.

Zdołała się skontaktować z ojcem przez jego pułk i w krótkim liście dała mu znać, co zamierza. I tym razem jednak list, który otrzymała w odpowiedzi, przyniósł jej gorzką wiadomość. Zginął trzeci z jej czterech braci. Ojciec, tak samo jak Nikołaj, naglił ją do pośpiechu. Pamiętał ich spotkanie, chociaż nadal nie miał pojęcia, że Nikołaj jest żonaty, i nakłaniał córkę do wyjazdu. Obiecywał się z nią skontaktować, gdy Danina dotrze do Vermontu. Będzie mogła wrócić z Nikołajem do Rosji, kiedy wojna się skończy. Tymczasem ojciec polecał ojczyznę jej modlitwie, życzył jej szczęśliwej drogi i zapewniał o swojej miłości.

Czytała list wstrząśnięta, nie będąc w stanie uwierzyć, że straciła jeszcze jednego brata. I nagle poczuła, że nigdy już nie zobaczy żadnego z nich. Każdy dzień był odtąd udręką, pełen trwogi o rodzinę i o Nikołaja. Wykupiła dla nich dwoje bilety na statek, który miał odpłynąć pod koniec maja, dopiero pierwszego maja przyszła jednak nowa wiadomość od Nikołaja. Jego list był znowu boleśnie krótki, doktor spieszył się bowiem, by wysłać go jak najprędzej.

„Tutaj wszystko układa się dobrze – pisał, a ona modliła się, żeby to była prawda. – Nadal czekamy na wiadomości. Codziennie mówi się nam co innego, nie ma też żadnego wiążącego słowa z Anglii. To raczej krępujące dla nich wszystkich. Wszyscy jednak zachowują dobry nastrój. Wygląda na to, że wybiorą się do Liwadii w czerwcu. Do tego czasu muszę pozostać przy nich. Nie mogę teraz ich porzucić, jestem pewien, że to rozumiesz. Marie i chłopcy wyjechali w zeszłym tygodniu. Dołączę do Ciebie w Petersburgu, przyrzekam, pod koniec czerwca. Do tego czasu, kochanie, niech nasza miłość ma Cię w opiece. Myśl tylko o Vermoncie i o przyszłości, jaka nas tam czeka. Jeżeli zdołam, przyjadę na parę godzin, żeby się z Tobą zobaczyć".

Ręka jej drżała, kiedy czytała ten list, a gdy pomyślała o Nikołaju, łzy potoczyły się jej po twarzy. Płakała nad nim, nad nimi, nad poległymi braćmi, nad wszystkimi poległymi mężczyznami i nad wszystkimi utraconymi marzeniami. Tyle się wydarzyło, zawalił się cały jej świat. Nie potrafiła myśleć o niczym innym.

Nazajutrz wymieniła bilety na statek odpływający do Nowego Jorku pod koniec czerwca. Wytłumaczyła się ze swoich poczynań Madame. Przełożona odzyskała tymczasem siły. Jak każdy obecnie, z troską myślała o przyszłości. Nie sprzeciwiała się już zamiarowi odjazdu Daniny z Nikołajem. Dziewczyna i tak nie będzie mogła już nigdy z nimi tańczyć, a w Petersburgu, jak zresztą wszędzie w Rosji, wyraźnie zaczynało być niebezpiecznie. Madame z poczuciem ulgi przyznała wreszcie, że wierzy w związek tych dwojga. Nikołaj będzie dla Daniny dobry, czy się pobiorą, czy nie, chociaż ona osobiście ma nadzieję, że kiedyś to zrobią.

Nawet jednak pocieszona pewnością ich bezpiecznego wspólnego wyjazdu za miesiąc, Danina nie mogła opędzić się od obaw o wszystko, co za sobą pozostawia. O rodzinę, o przyjaciół, o kraj rodzinny i o ten jedyny świat, który znała w balecie.

Nikołaj już ją powiadomił, że jego kuzyn proponuje im pracę w swoim banku. Mieli mieszkać u niego, jak długo będą musieli, aż stać ich będzie na jakieś własne mieszkanie. To była pewna pociecha. Nikołaj miał zamiar ukończyć konieczne kursy, żeby móc podjąć praktykę lekarską w Vermoncie. Wszystko wydawało się starannie zaplanowane, chociaż Danina zdawała sobie sprawę, że dużo wody upłynie, zanim zdołają osiągnąć swoje cele. Na razie całkowicie ją pochłaniał sam wyjazd z Rosji. Vermont wydawał się tak odległy, równie dobrze mógł leżeć na innej planecie, tak był daleki od ich tutejszego świata.

Na tydzień przed terminem wyruszenia statku Nikołaj znowu przyjechał, żeby się z nią zobaczyć. I tym razem przywiózł złe wiadomości. Cesarzowa rozchorowała się kilka dni temu, była wyczerpana, przemęczona wielkim napięciem. Chociaż doktor Botkin był stale przy nich, Nikołaj czuł, że nie może ich opuścić, jak zamierzał. Wyjazd do Liwadii znowu się opóźniał. Tym razem przełożono go na lipiec, a poza tym nadal oczekiwano zgody angielskich kuzynów, ci jednak na razie nie podjęli żadnych zobowiązań.

– Chcę po prostu, żeby gdzieś znaleźli dom – tłumaczył Nikołaj. Daninie wydawało się to słuszne. Przesiedzieli razem godzinę, tuląc się, całując i po prostu ciesząc wzajemną bliskością. Tymczasem madame Markowa przygotowała Nikołajowi coś do zjedzenia. Pochłonął z wdzięcznością posiłek. Z Carskiego Sioła jechał długo pełną kurzu drogą.

– Rozumiem, kochanie, masz rację – powiedziała Danina opanowanym głosem, ściskając mocno dłoń Nikołaja. Chciała tylko móc razem z nim wrócić do Carskiego Sioła, znowu spotkać się z nimi wszystkimi. Skreśliła pospieszny list do wielkich księżniczek i do Aleksego, przesyłając im wyrazy oddania i przyrzekając ponowne spotkanie, Nikołaj złożył starannie arkusik i schował do kieszeni.

Wyjaśnił Daninie wszystkie okoliczności i konsekwencje aresztu domowego. Car i jego rodzina mają prawo przechadzać się po ogrodzie i po całym terenie. Ludzie, opowiadał, sterczą pod bramami i gapią się na nich, czasem ich zagadują, zapewniając o swoim oddaniu lub też ganiąc ich za to, co zrobili albo czego nie zrobili. Danina słuchała tego z przykrością. Jeszcze bardziej pragnęła znaleźć się wraz z Nikołajem w Carskim Siole, żeby dodać im otuchy i po prostu pobyć wśród nich.

Ciężko jej było widzieć, jak Nikołaj znowu odjeżdża wieczorem, wiedziała jednak, że doktor musi wracać. Tym razem wymieniła bilety na statek wyruszający pierwszego sierpnia. Nikołaj przyrzekł powrócić już wtedy do Petersburga. Wierzyć się jej nie chciało, że od wybuchu rewolucji już przez trzy miesiące odkładają wyjazd. Była to teraz dla niej cała wieczność. Tymczasem nadal na niego czekała.

Niektórzy tancerze rozjechali się do swoich krajów, swoich miast, większość jednak pozostała na miejscu. Wszystkie występy odwołano wiele miesięcy temu, ale Madame, kiedy przyszła do siebie po chorobie, zarządziła powrót do zwykłych zajęć. Poprosiła Daninę, żeby razem z nią pilnowała ćwiczeń. Dziewczyna utykała coraz mniej, nie było jednak wątpliwości, że tańczyć nigdy już nie będzie. W tej chwili zresztą nie dbała o to. Dni płynęły, a ona mogła myśleć tylko o Nikołaju i swych przyjaciołach. Nikołaj powrócił pod koniec lipca. Tym razem, oświadczył, plany rodziny cesarskiej są pewne. Rząd Tymczasowy sprzeciwił się podróży do Liwadii. Uznał ją za zbyt niebezpieczną, droga wiodła bowiem przez miasta uznane za „wrogo nastawione". Czternastego rodzina carska wyjeżdża zatem do Tobolska na Syberii. Mówiąc to, Nikołaj niespokojnie obserwował twarz ukochanej. Miał jeszcze coś do powiedzenia, a nie był pewien, jak Danina przyjmie decyzję, którą podjął.

– Jadę z nimi – powiedział tak cicho, że w pierwszej chwili wydało się jej, iż źle go zrozumiała.

– Na Syberię? – Była wstrząśnięta. Co on mówi? Co to znaczy?

– Uzyskałem zgodę na odbycie z nimi podróży pociągiem, a potem na natychmiastowy powrót. Danino, nie mogę ich teraz opuścić. Muszę dopilnować tego do końca, zadbać, żeby dojechali cało i zdrowo. Dopóki nie nadejdzie wiadomość od ich kuzynów z Anglii, pozostaną na zesłaniu w Tobolsku. Liwadia byłaby dla nich znacznie przyjemniejszym miejscem, ale władze chcą, żeby byli jak najdalej, rzekomo dla ich własnego bezpieczeństwa. Rodzina jest strasznie tym przygnębiona. Nie mam innego uczciwego wyjścia, jak pojechać z nimi. Musisz mnie zrozumieć. Byli dla mnie jak własna rodzina.

– Rozumiem – powiedziała z oczami pełnymi łez. – Mnie też ich strasznie żal. Czy straż traktuje ich przyzwoicie?

– Najczęściej tak. Sporo służby odeszło, ale reszta, ci, co zostali w pałacu w Carskim Siole, prawie się nie zmieniła.

Oboje jednak wiedzieli, że na Syberii będzie inaczej. Podobnie jak Nikołaj, Danina martwiła się o Aleksego.

– Dlatego właśnie jadę – wyjaśnił spokojnie, a ona znowu kiwnęła głową. – Botkin jedzie także i tam z nimi pozostanie. To jego wybór. Nawiasem mówiąc, właśnie dzięki temu będę mógł ich opuścić i wrócić tutaj.

Znowu z wdzięcznością skinęła głową, on jednak miał jeszcze coś do powiedzenia.

– Danino – zaczął, a ona wyczuła jakąś złowieszczą nutę w jego tonie, zanim jeszcze padły pierwsze słowa. Była prawie pewna, co usłyszy. – Nie chcę, żebyś jeszcze raz zmieniała bilety. Chcę, żebyś tym razem wyjechała. Tutaj jest dla ciebie zbyt niebezpiecznie. Coś może się stać, zwłaszcza tutaj, w mieście. A ja nie będę mógł do ciebie przyjechać ani cię ochronić, będąc tak daleko.

W drodze na Syberię w żaden sposób nie mógłby jej pomóc. Nawet teraz podróż z Carskiego Sioła do Petersburga była ciężką próbą.

– Chcę, żebyś wyjechała do Ameryki pierwszego sierpnia, tak jak zamierzaliśmy, a ja w parę tygodni dojadę z nimi na Syberię, a potem wyruszę na własną rękę, kiedy tylko dotrę z powrotem do Petersburga. Będę się czuł znacznie lepiej, wiedząc, że jesteś tam, pod opieką Wiktora. Nie chcę żadnych sprzeczek, chcę, żebyś zrobiła, co mówię. – W przewidywaniu jej oporu przybrał minę niemal surową, Danina jednak zaskoczyła go tym razem. Z twarzą zalaną łzami skinęła głową.

– Rozumiem. Tutaj jest niebepiecznie. Wyjadę... a ty przyjedziesz jak najszybciej.

Wiedziała, że nie ma sensu się z nim spierać. Wiedziała, że on ma rację, chociaż okropna była sama myśl o wyjeździe bez niego. Skoro jednak on jedzie na Syberię z carem, najlepiej pewnie będzie, jeżeli ona ruszy przedtem do Ameryki.

– Kiedy przyjedziesz, jak sądzisz?

– Nie później niż we wrześniu, tym razem jestem tego pewien. Będę szczęśliwy, wiedząc, że jesteś bezpieczna daleko stąd.

Objął ją i przytulił, ona zaś rozpłakała się, marząc o chwili, kiedy znowu będą razem. Nikołaj wiedział już, że Marie i chłopcy cało i zdrowo dotarli do Anglii. Teraz chciał mieć pewność, że i Danina jest bezpieczna. Wiedział, że jego kuzyn roztoczy nad nią opiekę. Wiktor przyrzekł mu już uczynić dla nich wszystko, co w jego mocy, Nikołaj zaś miał do niego pełne zaufanie. Wiedział, że Danina znajdzie w nim wszelkie oparcie. On sam, Nikołaj, będzie mógł odetchnąć swobodniej, towarzysząc rodzinie carskiej w drodze do Tobolska, później zaś odbywając powrotną podróż do Petersburga. A potem wyruszy statkiem do Ameryki, żeby być z Daniną, i zacznie się ich nowe życie.

Przedstawił Marie przed jej odjazdem swoje plany, ona zaś ku jego zaskoczeniu okazała dla nich zrozumienie, zapewniając, że w każdej chwili będzie mógł odwiedzić chłopców. Nikołaj jednak, tak samo jak ona, wiedział, że mogą minąć lata, zanim uda mu się wrócić do Europy. W każdym razie na długo skończyła się ich małżeńska farsa. W głębi serca czuł się teraz bardziej mężem Daniny niż Marie. Stan prawny i papiery nic już dla niego nie znaczyły. Marie, żegnając się z nim, życzyła mu szczęścia, a chłopcy i on sam płakali. Marie miała suche oczy. Czuła ulgę na myśl o tym, że wreszcie opuszcza Rosję, a z Nikołajem w głębi serca rozstała się już dawno. Doktor więc po spełnieniu swoich obowiązków wobec rodziny cesarskiej miał wreszcie zyskać wolność.

– Wpadnę tu znowu za kilka dni – obiecał Daninie na pożegnanie. – Będziemy mogli zatrzymać się w hotelu do twojego odjazdu.

Chciał znowu być z nią, leżeć przy niej, obejmować ją, wiedzieć, że jest bezpieczna na statku. Zanim dziewczyna odpłynie, on musi być z nią. Niespełna pół roku temu opuściła Carskie Sioło i wróciła do Petersburga z powodu choroby madame Markowej, ale dla nich obojga tych pięć miesięcy było jak całe życie. Cały ich świat zmienił się nie do poznania, a miał się zmienić raz jeszcze, kiedy spotkają się w Vermoncie. Nigdy już nic nie będzie dla nich takie, jak było; doktor modlił się tylko, żeby było lepsze. Wolałby wyjechać z nią razem, ale we własnym sumieniu nigdy by sobie tego nie wybaczył. Najpierw musiał się upewnić co do bezpieczeństwa rodziny carskiej. Przynajmniej tyle był im winien za przychylność, którą mu okazywali przez lata jego służby przy dworze.

Tego wieczoru zgodnie z planem odjechał, a wrócił do Petersburga na trzy dni przed datą odpłynięcia statku Daniny. Kiedy przybył, obserwowała właśnie przebieg ćwiczeń wraz z madame Markową. Któraś z uczennic w jej poszukiwaniu weszła bezgłośnie do sali. Danina obejrzała się i dostrzegła Nikołaja, który przypatrywał się jej, stojąc w progu. Pojęła, że zaczynają się przerażające chwile pożegnań i że zbliża się pora jej odjazdu. Poczuła, że siedząca obok niej Madame zesztywniała. Danina przez dłuższą chwilę patrzyła na nią, a potem z wolna ruszyła ku Nikołajowi, zupełnie już nie kulejąc. Spakowane bagaże stały w pokoju, w którym sypiała, była więc gotowa do odjazdu. Układała właśnie ostatnie rzeczy, a Nikołaj czekał w korytarzu, kiedy do pokoiku weszła Madame. Stanęła, mierząc wzrokiem walizki na podłodze. Cały dobytek Daniny mieścił się bez trudu w dwóch wysłużonych sakwojażach. Dziewczyna stała, wpatrzona w swoją mistrzynię, i żadna przez dłuższą chwilę nie odezwała się ani słowem. Danina nie ufała własnemu głosowi, a ta, która przez piętnaście lat była dla niej matką, wydawała się porażona smutkiem.

– Nie sądziłam, że ten dzień kiedykolwiek nadejdzie. – Głos starszej pani drżał. – Nie sądziłam też, że kiedykolwiek pozwolę ci wyjechać, nawet gdyby nadszedł... A teraz cieszę się, że jedziesz. Chcę, żeby ci było dobrze, żebyś była szczęśliwa, Danino. Musisz stąd wyjechać.

– Tak bardzo będzie mi pani brakowało. – Danina zrobiła dwa długie kroki i objęła Madame. – Wrócę jeszcze kiedyś do pani.

W głębi serca Madame wiedziała jednak, że tak się nie stanie. Nie wierzyła, patrząc na to dziecko, które tak kochała, a dziś już kobietę, by kiedykolwiek tutaj wróciło. Czuła podświadomie, że to jest ich ostatnia wspólna chwila.

– Nigdy nie powinnaś zapominać o tym, czego się tutaj nauczyłaś, czym to dla ciebie było, kim tutaj byłaś... i kim zawsze będziesz. Zabierz to wszystko ze sobą, Danino, zachowaj to w sercu. Nie możesz się tego wyzbyć. To cząstka ciebie samej.

– Nie chcę pani opuszczać. – W głosie Daniny brzmiała udręką.

– Musisz. On przyjedzie do ciebie, kiedy będzie mógł,

do Ameryki, i będziecie razem żyli szczęśliwie. Wierzę w to. Życzę ci tego.

– Chciałabym zabrać panią ze sobą – szepnęła Danina, tuląc się do przełożonej i pragnąc, by tak zostało zawsze.

– Zabierzesz mnie... a cząstka ciebie na zawsze zostanie tutaj ze mną. Tutaj. – Smukłym palcem pokazała na serce. – Pora na ciebie, Danino – dodała, odsuwając się, by podnieść jedną z walizek. Danina wzięła drugą. Wyszły powolnym krokiem na korytarz, gdzie czekał Nikołaj. Od razu dostrzegł, jaka to trudna dla nich chwila. Zbliżył się, by uwolnić je od bagażu.

– Jesteś gotowa? – zapytał łagodnie Daninę. Skinęła głową i ruszyła w stronę frontowego wyjścia. Madame podążyła za nią z wolna, przedłużając każdą sekundę pożegnania.

Kiedy doszły do drzwi, te otworzyły się nagle. Do budynku weszła dziewczynka ośmio- czy dziewięcioletnia, dźwigając sakwojaż. Za nią dumnie stanęła jej matka. Dziewczynka była ładna, z długimi jasnymi warkoczami. Patrzyła wyczekująco na Daninę.

– Czy pani jest tancerką? – zapytała śmiało.

– Byłam. Już nie jestem.

Ta odpowiedź w obecności Nikołaja i Madame dużo kosztowała Daninę.

– A ja mam zamiar zostać baletnicą i zamieszkać tutaj na zawsze – oświadczyła dziewczynka z uśmiechem.

Danina skinęła głową, przypominając sobie dzień własnego tutaj przybycia. Była wtedy wystraszona znacznie bardziej niż to dziecko, znacznie mniej pewna siebie, no i znacznie młodsza. Nie miała też matki, która by jej towarzyszyła.

– Myślę, że będziesz tu bardzo szczęśliwa. – Uśmiechnęła się do małej przez łzy. Madame dostrzegła to. – Musisz pracować bardzo, bardzo ciężko. Bez przerwy. Dzień w dzień. Musisz to pokochać nade wszystko w świecie i wyrzec się wszystkiego, co uwielbiasz robić, czego pragniesz, co posiadasz, o czym myślisz... to będzie odtąd całe twoje życie.

Jak Madame umiała to wytłumaczyć dziewięciolatkom? Jak umiała sprawić, że niczego bardziej nie pragnęły? Jak umiała im wpoić gotowość do poświęceń i wyrzeczeń, niemal do ofiary własnego życia? A czy w ogóle je tego uczyła? Czy też one same musiały się takie urodzić? Danina nie znała odpowiedzi. Po prostu pogłaskała dziewczynkę, mijając ją w progu, i ze łzami w oczach obejrzała się na Madame. Nie wiedziała, jak ma się pożegnać po tylu latach poświęcenia, oddania i miłości. Jak ma to oddać, skoro jest po wszystkim? Dla niej to już koniec bajki. Koniec z tańcem. Dla tego dziecka to dopiero początek.

– Niech pan się nią opiekuje – po cichu zwróciła się Madame do Nikołaja, kiedy dziewczynka z matką ich wyminęły. A potem po raz ostatni dotknęła ręki Daniny, odwróciła się i uroczystym krokiem ruszyła z powrotem, aby nie zobaczyli, że płacze. Danina stała i przez długą chwilę patrzyła za nią, później zaś po raz ostatni z wolna przestąpiła próg, z ociąganiem, ale wreszcie znalazła się na zewnątrz. Nie była już cząstką zespołu baletowego, nie należała już i nigdy nie będzie do niego należeć. Tej chwili śmiertelnie się bała przez całe życie. Teraz właśnie nadeszła. Danina nie jest już cząstką tego świata, opuściła go na zawsze. Nie było już możliwości zmiany, nie było odwrotu. Drzwi zamknęły się za nią cicho.

Rozdział dziesiąty

Ostatni dzień w Petersburgu spędzili, spacerując po ulicach, zaglądając w miejsca, które niegdyś razem odkryli. Była to jakby litania wspomnień i udręki, aż nagle Danina poczuła, że nie wie, po co ma wyjeżdżać. Oboje kochają ten kraj, dlaczego mieliby go opuszczać? Nie łudzili się jednak. Było groźnie. Skończyły się w Rosji ich czasy. Nigdy już nie będą mogli tutaj żyć. Tym bardziej teraz, kiedy szaleje rewolucja. Gdyby nie to jednak, Marie pozostałaby na miejscu i nie zwróciła Nikołajowi wolności. Danina nie miałaby dokąd odejść z baletu. Musieli przebyć tysiące kilometrów, żeby podjąć wspólne życie w nowym świecie. Oboje wiedzieli jednak, że warto. Rozstanie było rozdzierająco bolesne. Nazajutrz ona będzie na statku, on pojedzie za nią za parę miesięcy i zacznie się ich życie we dwoje. Skądinąd było to jak wielka przygoda. Dziewczyna jednak z najwyższym smutkiem pozostawiała ukochanego w Rosji.

Na razie zatrzymali się w hotelu pod nazwiskiem Nikołaja. W drodze powrotnej ze spaceru kupili gazetę i z przerażeniem czytali nowiny wojenne. Bardzo to było przygnębiające, a nie sposób tego ignorować.

Tego wieczora zamówili kolację do pokoju, aby nie tracić ani chwili ostatniego wspólnego dnia i spędzić sam na sam ostatnie godziny. Tyle mieli sobie do powiedzenia, do

167

wymarzenia, do przyrzeczenia. Ich wspólne dni i noce przeszły zbyt szybko. Zapadali tylko w krótką drzemkę w ciągu tych trzech ostatnich dni, nie chcąc tracić ani sekundy danego im czasu. Jej bagaże były spakowane, nieliczną biżuterię i pamiątki miała zabrać ze sobą. Nikołaj wysyłał z nią dwa własne kufry, jakby chciał dowieść, że przyjedzie później. Danina wiozła nawet suknie balowe, które ofiarowała jej cesarzowa, chociaż wiedziała, że są już teraz tylko częścią przeszłości, jak wszystko inne.

Zastanawiała się czasem, jak wyjaśnią swoim dzieciom, jeżeli będą je mieli, czym było tutaj ich życie. Wszystko to będzie się im wydawało bajką, tak samo zresztą jak jej obecnie. W końcu pewnie będzie można tylko zapomnieć o tym wszystkim, upchnąć gdzieś te pamiątki, programy spektakli baletowych, fotografie, suknie, baletki i odkurzać je tylko niekiedy, chcąc rzucić na nie okiem. A może nawet to byłoby zbyt bolesne. Wiedziała, że opuszczając Petersburg, raz na zawsze zatrzaskują za sobą drzwi przeszłości.

Następnego wieczora położyli się wcześnie i spali niewiele, przez całą noc tuląc się w uścisku. Słońce jednak wzeszło i tak zbyt wcześnie, po raz ostatni więc ze smutkiem podnieśli się ze wspólnego posłania. Danina z góry już odczuwała ból przyszłej rozłąki.

Portier zniósł jej walizki i dwa kufry Nikołaja schodami na dół. Kiedy drzwi bezgłośnie zamknęły się za nią, poczuła się jak dziecko, które na zawsze opuszcza dom.

– Danino, obiecuję ci, przyjadę niebawem, bez względu na sytuację tutaj. Nic mnie nie powstrzyma.

Czytał w jej myślach, dodając otuchy w dorożce, po drodze na statek. Rozstawała się z nim chora ze zmartwienia, zwłaszcza na myśl o jego podróży najpierw na Syberię z carem, carycą i ich dziećmi, a później z powrotem do Petersburga.

Pomógł jej wejść na statek, odprowadził do kabiny. Miała

ją dzielić z inną damą, która jednak jeszcze nie przybyła, Danina więc mogła sobie wybrać koję. Z trudem oderwała się od Nikołaja, nagle przerażona perspektywą morskiej podróży. Powiedziała mu o tym. Bez niego, stale się o niego obawiając, będzie rozpaczliwie samotna.

– Ja też będę do ciebie tęsknił. – Uśmiechnął się do niej z miłością. – Bez przerwy. Uważaj na siebie, kochanie. Niedługo tam będę.

Wróciła z nim na pokład, kiedy syrena dała odprowadzającym sygnał do zejścia na ląd. Przez długą chwilę stał, tuląc ją do siebie. Nie dbali już o to, czy ich ktoś widzi. We własnym pojęciu byli mężem i żoną.

– Kocham cię. Pamiętaj o tym. Przyjadę jak najprędzej. Przekaż ode mnie pozdrowienia kuzynowi. Jest trochę nudny, ale bardzo miły. Spodoba ci się.

– Okropnie mi będzie ciebie brak. – Danina miała łzy w oczach. Nie mogła się zmusić do rozluźnienia uścisku.

– Wiem – powiedział łagodnie – mnie też.

Pocałował ją długo i mocno. Po raz ostatni odezwała się syrena. Zaczęto podnosić trap.

– Pozwól mi zostać z tobą – rzuciła bez tchu, wtulona w jego ramiona. Nagle pożałowała swej decyzji. – Nie chcę się z tobą rozstawać. Chyba pozwolą mi pojechać na Syberię razem z tobą.

Gotowa była na wszystko, byle zostać z nim.

– Nigdy ci nie pozwolą, Danino, przecież wiesz o tym.

Nie chciał jej tłumaczyć, że to niebezpieczne, dla żadnego z nich nie było to jednak tajemnicą. Chciał, żeby była bezpieczna w Vermoncie, bez względu na to, jak pragnął zatrzymać ją przy sobie.

– Pamiętaj tylko, że bardzo cię kocham – przypomniał jej. – Pamiętaj o tym, dopóki nie przyjadę. Kocham cię nad wszystko w świecie, Danino Pietroskowa...

Po raz ostatni miał tak ją nazwać. Umówili się już, że w Vermoncie będzie używała jego nazwiska, Obrażenska, nikt więc nawet się nie domyśli, że nie są małżeństwem.

– Tak bardzo cię kocham, Nikołaju.

Mówiąc to, odruchowo dotknęła swojego medalionu. Był na miejscu, bezpieczny na szyi pod swetrem.

– Wkrótce się zobaczymy – obiecał, po raz ostatni całując ją pospiesznie, i zbiegł pędem po trapie. Stanęła przy relingu. Patrzyła, jak Nikołaj zeskakuje na brzeg i przystaje tam, spoglądając ku niej.

– Kocham cię! – krzyknęła. – Bądź ostrożny!

Pomachała mu ręką, a on odpowiedział tym samym, mówiąc bezgłośnie: „Kocham cię". W parę chwil później wielki statek z wolna odbił od nabrzeża, a Danina poczuła ucisk w sercu i zdumiała się, jak mogła być taka głupia, że dała się Nikołajowi przekonać do wyjazdu bez niego. Wszystko w tym pomyśle wydawało się jej teraz pomyłką, wiedziała jednak, że ze względu na Nikołaja musi być odtąd dzielna. Już tyle razem przeszli, że teraz ona sama może znieść trochę więcej, pozwolić mu dopełnić swych obowiązków, oddać ostatnią przysługę rodzinie cesarskiej; później dołączy do niej w Vermoncie i jako mąż i żona podejmą tam wspólne życie.

Machała mu ręką, dopóki jeszcze majaczył w oddali. Stał tam nadal, machając ku niej, wysoki, dumny i silny, mężczyzna, który przed dwoma laty podbił jej serce, którego – wiedziała o tym – będzie kochała zawsze.

– Kocham cię, Nikołaju – wyszeptała na wiatr i stała tak długo, a łzy ciekły jej po policzkach. Myślała o nim i ściskała w ręku medalionik. Nie bardzo nawet wiedziała, dlaczego płacze. Miał rację. Pełni byli tak wielkich nadziei, tak wielkiej wdzięczności, tak wiele czekało ich w Vermoncie. Wszystko to dopiero początek. Nie ma powodu płakać, choć na dnie serca kryje śmiertelną obawę, że widziała go właśnie po raz ostatni. Nie ma jednak powodu tak myśleć. To głupie, mówiła sobie, wpatrując się w niebo i odprowadzając wzrokiem ostatnie mewy kierujące się w stronę brzegu. Nie może go teraz utracić. To się nie może zdarzyć. Z westchnieniem, po raz ostatni rzuciwszy okiem na coraz dalsze brzegi ojczystej ziemi, myśląc o nim, zeszła powoli do kabiny. Nie może stracić Nikołaja, powtarzała sobie. Cokolwiek się im przydarzy, ona zawsze będzie go kochała, nie mogą siebie nawzajem stracić.

Epilog

Odpowiedzi na pytania jak zwykle leżały w zasięgu ręki. Przetłumaczono mi listy, a wszystko to były listy miłosne Nikołaja Obrażenskiego do mojej babki. Korespondencja obejmowała długi czas. Kiedy odczytywałam listy, serce mi się ściskało, prawie tak jak ściskało się kiedyś nad nimi jej serce. Listy bardzo jasno mówiły o wszystkim.

Reszty dowiedziałam się od dwojga jej znajomych, sąsiadów, kiedy wróciłam do Vermontu następnego lata, żeby rzucić okiem na dom i spędzić tam tydzień z dziećmi i z mężem.

Znalazłam suknie od cesarzowej w kufrze na strychu, a przecież wcześniej nie miałam pojęcia, że tam są. Leżały, a jakże, nadal w tym samym kufrze, w którym ona je zostawiła, całkiem spłowiałe, z pożółkłą koronką. Przeżyły swoją modę o przeszło sześćdziesiąt lat, wyglądały jak kostiumy teatralne. Zaskoczyło mnie, że nigdy na nie nie natrafiłam, bobrując w dzieciństwie na strychu, stary i zniszczony kuferek był jednak ukryty w najciemniejszym kącie. Jego kufry spoczywały tam również, dwa kufry ze starannym napisem DR. NIKOLAI OBRAJENSKY. Nigdy nie zdobyła się na odwagę rozpakowania ich, odkąd przybyła do Vermontu.

Programy spektakli baletowych nabrały teraz dla mnie nowego znaczenia, podobnie jak jej fotografie z innymi tancerzami. A baletki wydawały się czymś świętym. Nigdy nie zdawałam sobie sprawy, jaka to ważna dla niej rzecz. Wiedziałam, że kiedyś tańczyła, ale jakoś nigdy nie pojęłam, ile serca w to wkładała. Spróbowałam to wyjaśnić dzieciom, a one robiły wielkie oczy, kiedy im opowiadałam całą historię. Kiedy pokazałam Katie baletki i powiedziałam, że należały do babci Dan, mała pochyliła się nad nimi i pocałowała je. Gdyby babcia to widziała, pewnie by ją to rozśmieszyło.

Tak jak się obawiała, odpływając we wrześniu 1917 roku, nigdy już nie ujrzała Nikołaja. Jak przyrzekł, pojechał do Tobolska na Syberii, a tam wpadł w pułapkę. Nie miał już możliwości wyjazdu, został wraz z carem i jego rodziną osadzony w areszcie domowym. Poświęcenie dla nich kosztowało go w końcu wolność, a w lipcu 1918 roku rozstrzelano go wraz z nimi. Krótki list, podpisany nazwiskiem, którego nie potrafiłam odczytać, powiadomił ją o tym cztery tygodnie później. Mogłam sobie tylko wyobrazić, co przeżywała, czytając ten list. Sama szlochałam nad nim przez lata, czytając przekład. Musiała czuć się tak, jakby skonała razem z nim.

Zanim zginął, ostrzegał ją jednak w ostatnim liście, że chodzą słuchy o egzekucji. W okrutny sposób, jak mogłoby się wydawać teraz z perspektywy czasu, usiłował przygotować ją na to. Słowa brzmiały właściwie zaskakująco wesoło i mocno. Pisał, że ona musi znaleźć szczęście w swoim nowym życiu, a jego, jego miłość, wspominać z radością, a nie ze smutkiem. Pisał, że w głębi serca był jej mężem, odkąd się poznali, że zawdzięcza jej najszczęśliwsze lata swego życia i że ubolewa tylko nad tym, że nie wyjechał z nią razem. Musiała wiedzieć tamtego dnia, że więcej go nie zobaczy. Nie można jednak było uniknąć przeznaczenia. Jego i jej. Jej przeznaczone było nowe życie, z nami wszystkimi, w kraju tak dalekim od życia, które dzieliła z nim. A jemu nie było pisane być z nią.

Jej ojciec i pozostały przy życiu brat zginęli pod koniec

wojny. A madame Markowa zmarła na zapalenie płuc dwa lata po tym, jak moja babka widziała ją po raz ostatni.

Straciła ich, jedno po drugim, nieodwołalnie, straciła wszystko – życie, ojczyznę, karierę, garstkę najdroższych... mężczyznę, którego kochała, swoją rodzinę, taniec, który uwielbiała.

A jednak nie czuło się wokół niej atmosfery tragedii, smutku, żalu, żałoby. Musiała strasznie za nimi tęsknić, zwłaszcza za Nikołajem. Serce musiało jej pękać, a jednak nigdy nic mi nie powiedziała. Była po prostu babcią Dan, tą od śmiesznych kapeluszy, wrotek, iskierek w oczach i pysznych ciasteczek. Jak mogliśmy być tak głupi? Jak mogliśmy sądzić, że to ona cała, podczas gdy miała w sobie o tyle więcej? Jak mogłam uwierzyć, że kobiecina w znoszonych czarnych sukniach jest tą samą osobą, którą była kiedyś? Dlaczego sądzimy, że starzy ludzie zawsze byli starzy? Dlaczego nie mogłam jej sobie wyobrazić w sukni balowej z czerwonego aksamitu, przybranej koronką? Dlaczego nie wyobrażałam sobie, jak w swoich baletkach tańczy dla cara *Jezioro łabędzie*? Dlaczego nigdy mi tego nie opowiadała? Wszystkie swoje sekrety zachowała dla siebie.

Przez jedenaście miesięcy czekała na Nikołaja, mieszkając u jego kuzyna, aż w dwunastym miesiącu dowiedziała się, że Nikołaj został rozstrzelany. Jego kuzyn był dla niej miły, tak jak zapowiadał Nikołaj. Cichy mężczyzna ze swoimi własnymi wspomnieniami, własnymi żalami, własnymi stratami. Musiała być dla niego jak promyk słońca. Był od niej starszy o dwadzieścia pięć lat. Kiedy przyjechała, miał czterdzieści siedem lat, a ona dwadzieścia dwa. Musiała mu się wydawać dzieckiem. I zawsze musiał wiedzieć, ile dla niej znaczył Nikołaj. W pięć miesięcy po śmierci Nikołaja, w szesnaście po przybyciu do Vermontu, poślubiła kuzyna Nikołaja, mojego dziadka, Wiktora Obrażenskiego. Do dziś nie wiem, czy naprawdę go kochała. Zakładam, że tak. Musieli być przyjaciółmi. Zawsze był dla niej miły, choć małomówny, ona zaś mówiła o nim z czułością i admiracją. Nadal jednak nie przestaję się zdumiewać, jak mogła pokochać mojego dziadka, skoro przedtem kochała jego kuzyna. Chociaż w to wątpię, myślę, że na swój sposób pokochała go jednak. Nikołaj był namiętnością jej życia, marzeniem młodości, która skończyła się tak szybko.

Tylu rzeczy nigdy nie wiedziałam... o tylu rzeczach nawet mi się nie śniło. Była naprawdę tajemnicza. Mam teraz okruchy... kufer... baletki... medalion... i listy... resztę jednak zabrała ze sobą – wspomnienia, sukcesy, ludzi, których kochała. Żałuję tylko, że tak mało wiedziałam o niej, kiedy żyła, że nie miałam pojęcia o jej przeszłości.

Babcia Dan, kobieta, którą była w moich oczach, zawsze będzie żyła w moim sercu. Kobieta, którą była wcześniej, należy do innych ludzi. Zabrali ją ze sobą, a ona dbała, by zawsze byli jak najbliżej, w jej sercu, w duchu, w listach i w medalionie. Musiała nadal go kochać, skoro do domu starców wzięła ze sobą listy i medalion z jego wizerunkiem. Nawet wtedy musiała odczytywać listy, choć pewnie po tylu latach ich treść utrwaliła się w sercu.

Dziś, kiedy przymknę oczy, nie wydaje mi się stara... jej suknie nie są czarne ani podniszczone... nie piecze już ciasteczek... uśmiecha się do mnie, młoda i piękna jak niegdyś... i tańczy w swoich baletkach, a Nikołaj Obrażenski uśmiecha się i patrzy. I wierzę, że teraz gdzieś są wreszcie razem.